LA VIE
EST-ELLE BELLE ?

Données de catalogage avant publication (Canada)

Vedette principale au titre :

La vie est-elle belle ?

ISBN 2-89074-622-4

1. Psychologie appliquée.   2. Événements stressants de la vie - Aspect psychologique.   3. Psychothérapie.   4. Émotions.   I. Université de Montréal. Service d'orientation et de consultation psychologique.

BF636.V53 1999   158   C99-941492-5

Édition
Les Éditions de Mortagne
Case postale 116
Boucherville (Québec)
J4B 5E6

Distribution
Tél. : (450) 641-2387
Télec. : (450) 655-6092

Tous droits réservés
Les Éditions de Mortagne
© Copyright 1999

Dépôt légal
Bibliothèque nationale du Canada
Bibliothèque nationale du Québec
Bibliothèque Nationale de France
4e trimestre 1999

ISBN : 2-89074-622-4

1 2 3 4 5 – 99 – 03 02 01 00 99

Imprimé au Canada

Nous reconnaissons l'aide financière du gouvernement du Canada
par l'entremise du Programme d'Aide au Développement de l'Industrie de
l'Édition pour nos activités d'édition.

Sous la direction de
Marie-Andrée Linteau

**Service d'orientation
et de consultation psychologique
de l'Université de Montréal**

LA VIE
EST-ELLE BELLE ?

Éditions de Mortagne

REMERCIEMENTS

Nous tenons à remercier tout d'abord les étudiants qui nous ont donné accès, dans l'intimité de leur rencontre avec nous, à leur difficulté de vivre. C'est à travers le récit tragique parfois, mais toujours émouvant de leur histoire personnelle que nous avons pu comprendre leur souffrance et traduire pour eux la richesse de leur expérience.

Merci également à tous les auteurs(es), psychologues permanents ou contractuels du SOCP qui ont tenté avec courage et enthousiasme de synthétiser leur compréhension d'une problématique particulière à la lumière des nombreuses heures d'écoute et d'accompagnement des étudiants.

Nous aimerions souligner la précieuse collaboration de Madame Rose Bergeron, illustratrice et ancienne étudiante de l'Université de Montréal; sa créativité prolifique a donné aux textes une savoureuse teinte d'humour.

Nous voulons également remercier Madame Louise Beauchamp, membre initial du Comité du bulletin et réviseure pour avoir peaufiné et fignolé les textes avec la patience et la précision d'une artisane.

Ce recueil n'aurait pas vu le jour sans l'immense confiance que nous a témoignée Monsieur Claude Pratte, directeur du SOCP. Il a de façon indéfectible supporté la réalisation du bulletin, nous a nourris de ses idées et critiques et surtout, il a permis par son ouverture et son profond engagement face aux problématiques des étudiants, de mener à terme ce projet de recueil.

Nous aimerions également remercier Madame Hélène Trifiro, adjointe à la direction du service, auteure et membre du Comité de rédaction depuis six ans, pour son optimisme inébranlable qui nous a soutenus dans des moments de doute et de confusion. Elle a su communiquer aux auteurs la confiance et le courage de leurs idées. Merci également à Madame Anouk Beaudin, auteure et membre du Comité du bulletin et du recueil, pour ses nombreuses idées, son ouverture et sa poésie. Merci à Madame Marie-Claude Lavallée, auteure, qui nous a aidés dans la sélection et présentation des articles du présent recueil.

Mille mercis à Mesdames Marie Toussaint et Huguette Fortin qui ont dactylographié et ratissé les textes en y apportant des commentaires toujours judicieux.

Merci enfin à la direction de l'Université de Montréal et aux représentants étudiants du Comité de gestion du SOCP qui ont endossé ce projet et l'ont rendu possible.

LISTE DES AUTEURS

Sous la direction de
Marie-Andrée Linteau, psychologue

Anouk Beaudin, psychologue
Francine Beaudry, psychologue
Nili Benazon, psychologue
Johanne Bergeron, psychologue
André Binette, psychologue
Andrée Blouin, psychologue
Ninon Chénier, psychologue
Jean Desmarais, psychologue
Nathalie Drouin, psychologue
Claude Hamel, psychologue
Denis Houde, psychologue
Marie-Claude Lavallée, psychologue
Gérald Lemieux, psychologue
Marie-Andrée Linteau, psychologue
Céline Mondor, psychologue
Paule Morin, psychologue
Marjolaine Nantel, psychologue
Pascale Poudrette, psychologue
Sonja Susnjar, psychologue
Hélène Trifiro, psychologue
Stéphanie Zimmer, psychologue

TABLE DES MATIÈRES

Remerciements 7
Liste des auteurs 9
Avant-propos 13

Ces liens qui nous façonnent 15
    Il était une fois une famille... 17
    Je suis, donc j'existe... une question d'autonomie 23
    S'affirmer, risquer d'être soi-même 29
    Rencontrer l'âme sœur ? Oui, mais... 33
    Le tango de l'amour 37
    Pourquoi est-ce si difficile de s'engager ? 43
    Cette sexualité qui nous dévoile 47

Artisan de son métier 53
    Pour le plaisir de créer 55
    La confiance en soi 61
    Plus de temps, moins de stress ? 67
    La prison parfaite 71
    La procrastination ou la folie de la dernière minute 75
    Comment travailler en équipe sans perdre ses amis ? 83
    Les choix de carrières piégés 87

La méchante colère 93
    En vie et en colère 95
    La colère, pour ou contre soi 101
    La violence, expression d'impuissance 105
    Se poser en victime, un cercle vicieux 109

Les pertes de la vie 113
    Au cœur du vide 115
    Les pertes inévitables de la vie 119
    Jeune à jamais 125
    La peine d'amour ne dure pas toujours 129
    Savoir sans savoir : la mort 133
    Les endeuillés par suicide 137
    La course autour de la montre 143

Quand l'équilibre est rompu..........................147
    Les états de crise psychologique 149
    Les événements catastrophiques..........................153
    Du choc culturel à l'intégration...........................157

Les langages de l'inconscient..........................161
    Nos mécanismes de défense 163
    L'univers des rêves 169
    Le corps, un porte-parole fiable...........................173
    La faim pour exprimer des besoins 179

Une histoire personnelle à découvrir 185
    Nommer la souffrance 187
    L'enfance, de l'oubli au souvenir 191
    La vie est-elle belle ?...197

AVANT-PROPOS

« La vie n'est pas facile : elle est parsemée de deuils, de pertes, d'échecs, de blessures inévitables. La souffrance fait partie de la vie et, dans un sens, c'est la rencontre avec la souffrance qui permet de donner à la vie sa profondeur, sa complexité. La souffrance nous dit que quelque chose, à l'intérieur de nous a besoin d'être exploré, élaboré; elle est aussi le signal de la rencontre avec nos propres limites. »

C'est sur cette phrase que s'achève le présent recueil regroupant trente-cinq articles écrits par des psychologues du Service d'orientation et de consultation psychologique de l'Université de Montréal. En effet, le SOCP a créé en 1989 un bulletin d'information et de réflexion, le *Vies-à-Vies*, qui avait pour but de refléter à l'ensemble de la communauté universitaire les problèmes et préoccupations des étudiants qui cherchaient, par la psychothérapie, à résoudre des difficultés de vie, à dépasser un mal-être parfois douloureux et paralysant.

Conscients que les témoignages entendus dans nos bureaux représentaient des difficultés individuelles bien sûr, mais aussi les problématiques de l'ensemble des jeunes adultes et, à la limite, le pouls de « l'âme » de notre société moderne, nous souhaitions offrir à nos lecteurs des moments de réflexion sur les multiples facettes de la vie psychologique et interpersonnelle, tels la famille, les deuils, les relations amoureuses, le perfectionnisme, la confiance en soi, les états de crise, la colère, le processus thérapeutique.

Dans un monde où l'efficacité, le paraître, la compétition et l'action sont rois, comment les êtres humains arrivent-ils à se définir, à comprendre leur histoire personnelle, à trouver leur place dans la chaîne des générations, à donner un sens et une direction à leur vie ?

Si certains articles proposent des moyens concrets pour faire face à des difficultés personnelles, l'accent, ici, est surtout mis sur la réflexion, la compréhension de notre monde intérieur afin de rendre compte de la complexité et des méandres de l'esprit humain.

À une époque où l'on explore les infinies possibilités de l'intelligence, où l'on isole et décortique le cerveau humain et ses fonctions, où l'on « biologise » nos difficultés à vivre et les variations de nos humeurs, où l'on « gère » les émotions à la manière d'une entreprise efficace et bien huilée, nous en sommes arrivés, nous semble-t-il, à méconnaître l'importance du psychisme et de la rencontre existentielle de l'homme avec lui-même et ses semblables, avec sa souffrance, ses limites, ses espoirs, ses joies et surtout avec son monde affectif peuplé des premières relations significatives.

Nous vous proposons ce recueil comme un compagnon de route, attentif et patient, parfois sage, mais surtout curieux, pour vous aider à comprendre et traduire les angoisses et défis des différents événements humains qui ponctuent le parcours de la vie.

Marie-Andrée Linteau
Rédactrice en chef

CES LIENS
QUI NOUS FAÇONNENT

IL ÉTAIT UNE FOIS UNE FAMILLE...

Marie-André Linteau et Johanne Bergeron

« Comment expliquer que je sois si différent de mes frères et sœurs puisque nous avons eu les mêmes parents ? » « Si je me sens si triste et si mal dans ma famille, ce doit être mon caractère, puisque mes parents ont l'air tellement heureux. » Voilà des commentaires fréquents de la part de toute personne qui commence à s'interroger sur sa famille, qui cherche à en comprendre les règles du jeu, à vouloir donner un sens à ce qui, de prime abord, paraît incompréhensible.

Conscient et inconscient familial

La famille, c'est d'abord la rencontre de deux personnes issues de lignées différentes, ayant leur histoire propre au sein de leur famille respective et apportant avec eux des traditions, des règles, des conceptions du monde tout à fait particulières. De cette rencontre et des conflits inhérents à cette mise en commun de deux histoires, se crée une nouvelle famille où chacun des enfants portera, selon le moment où il est né, les désirs et conflits inconscients des parents. La famille, c'est donc avant tout le lieu d'une histoire des générations précédentes véhiculée par les parents, tant par leur discours conscient, c'est-à-dire par les histoires racontées en famille sur le début du couple, la naissance des enfants, les grands-parents, leur propre enfance, etc., que dans les attitudes, les non-dits, les secrets, les attentes non formulées, les conflits sous-jacents dont on ne parle jamais.

La famille, c'est la source de notre identité, notre première empreinte, pourrions-nous dire. Nous sommes façonnés, définis tout d'abord par ce que nos parents, dans les tout premiers échanges, voient de nous, disent de nous, reflètent de nous. Si, pour les parents, il est impensable de laisser les enfants devenir autre chose que l'idée qu'ils ont d'eux ou d'être autrement que le double d'eux-mêmes, alors les enfants auront de la difficulté à dégager leur personnalité réelle de cette première empreinte des parents. Et si également, les parents sont aux prises avec des conflits dont ils ne parlent pas ou dont ils ne sont pas conscients, il se peut que les enfants coincés dans ce conflit se voient attribuer des qualités ou défauts qui ont bien peu à voir avec ce qu'ils sont vraiment, comme par exemple : « Tu es le portrait tout craché de ta mère, obstiné et impulsif ! »

La famille, c'est également un système qui a ses règles propres, ses modes de communication, son équilibre assuré par des rôles précis. Lorsqu'un des membres de la famille change, l'équilibre complet de la famille en est affecté. On a par exemple beaucoup étudié le phénomène de l'enfant-symptôme, c'est-à-dire de l'enfant malade physiquement ou mentalement qui porte, si l'on peut dire, la maladie du reste de la famille. Lorsque, à la suite d'une intervention par un membre extérieur à la famille, cet enfant va mieux, c'est la famille alors qui s'effondre. « L'enfant-symptôme » porte les sentiments ou les conflits que les parents ou les autres membres de la famille ne reconnaissent pas comme leurs, ne s'approprient pas. Par exemple, une famille où règne une atmosphère exagérée de joie, de bonne humeur, aura souvent un enfant « triste » qu'on ne comprendra pas et qu'on amènera éventuellement en consultation.

Chaque famille a ses mythes propres et ses formes de langage privilégiées. Certaines familles se parlent par la maladie physique, d'autres par des gestes, des actions plutôt que des mots (on casse des assiettes, on arrive en retard, etc.). On retrouve aussi des familles caractérisées par le secret, le non-dit ou les mots couverts; d'autres n'ont qu'un langage « technique », opératoire : on ne se parle surtout pas de nos sentiments (parce qu'ils seraient peut-être explosifs !) mais plutôt du robinet brisé, des papiers mouchoirs à acheter, de la viande trop cuite. Ou on se parle par paradoxe, c'est-à-dire par messages contradictoires qui rendent confus, par exemple un geste affectueux accompagné d'une parole blessante du genre : « Bon dieu, que tu nous en causes donc des ennuis ! » Chez d'autres familles prédomine le langage du sacrifice : « Nous nous sommes tellement privés pour que vous fassiez de hautes études » ou encore celui de la méfiance : « Je ne te dirai surtout pas ce que je pense, car tu pourrais l'utiliser contre moi. »

Enfin, chaque famille se maintient en équilibre grâce à la distribution des rôles qui, en fait, n'est pas du tout le fruit du hasard. On a parlé précédemment de l'enfant-symptôme; on retrouve également d'autres rôles typés : le médiateur, le raisonnable (qui joue souvent le rôle du parent de ses propres parents), le mouton noir, le clown qui fait rire toute la famille à son détriment ou le gaffeur (version modifiée du précédent), le génie, le malade, le bizarre. Plus les rôles sont cristallisés et rigides, plus la famille est mal en point; elle ne permet plus aucune liberté, aucune nouveauté. Et de la même façon, plus nous sommes enfermés dans un type de rôle dans notre famille, plus nous le rejouons de manière répétitive et stéréotypée dans nos relations avec notre entourage.

Notre histoire à nos trousses

Comme la famille est notre premier groupe social, c'est d'abord là que nous apprenons à être en relation. L'être humain tend, de façon souvent inconsciente, à vivre ses rapports interpersonnels sur un mode similaire à ce qu'il a connu avec les personnes significatives de son tout premier environnement. Notre façon d'interagir avec nos pairs se façonne à partir du genre de relation vécue avec nos frères et sœurs ou de notre statut d'enfant unique, si c'est le cas. Notre rapport avec des personnes représentant l'autorité, comme un professeur ou un employeur, est lié à la relation affective qui s'est tissée avec nos parents qui ont été nos premières figures d'autorité. De même, nos relations intimes sont profondément influencées par le type d'attachement développé au sein du lien primordial à la mère (ou substitut maternel).

Certains rôles appris dans notre famille et reproduits avec les autres peuvent souvent s'avérer bénéfiques pour soi et pour son entourage comme d'être celui ou celle qui écoute et supporte les autres, fait rire, prend le leadership, maîtrise ses émotions, etc. Cependant, ces rôles, vécus sous une forme rigide, nous nuisent plus qu'ils ne nous sont utiles. Si leur développement répondait à des conditions qui existaient au sein de notre dynamique familiale, leur rigidité peut toutefois se révéler malsaine dans nos relations présentes. Par exemple, le clown qui fait rire et distrait des sources de tensions, rôle jadis approprié et peut-être même vital, devient souvent inadapté dans nos relations actuelles. Un comportement où l'on rit ou tente de faire rire alors que c'est le temps d'être sérieux, peut produire un impact négatif sur les autres et, surtout, contribuer à déguiser une souffrance intérieure enfouie depuis longtemps.

Des pistes de changement

Si le type de relations vécues dans notre passé tend à se reproduire, il ne s'agit pas pour autant d'un déterminisme. Il faut plutôt y voir, surtout dans les relations plus difficiles, des occasions d'apprendre à se connaître et d'évoluer à travers elles.

Il est d'abord essentiel de s'arrêter et d'être attentif à ce qui se passe en soi. Essayer de mettre des mots pour nommer ce dont on prend conscience (émotions, pensées, façons d'agir, etc.) est très utile pour mieux se connaître. Il arrive que cette connaissance de soi nous amène à explorer nos relations actuelles en lien avec des relations vécues antérieurement avec certains membres de notre famille (« tiens donc... je me sens avec lui comme avec mon frère... »; « je ne comprends pas pourquoi mais elle me fait penser à ma mère... »). Se mettre en contact avec son histoire personnelle et cerner les façons d'être et les rôles appris à l'intérieur de notre système familial peuvent nous aider à mieux comprendre que quelque chose de notre passé se répète probablement dans nos relations actuelles. La lecture de son « roman familial » peut amener à se sentir moins esclave de son passé et ainsi se sentir plus spontané dans ses interactions avec les autres. Il devient alors possible d'être plus souple et d'essayer de nouveaux rapports plus adaptés aux situations actuelles.

Le changement, bien qu'il soit ardemment désiré, est plus ou moins facile à réaliser, car il comporte un aspect menaçant par rapport à la définition de nous-mêmes. En effet, assouplir nos rôles d'autrefois peut impliquer que l'on remette en question une famille ou des parents idéalisés ou, au contraire, peut obliger à nous approprier des caractéristiques déniées, méprisées et projetées sur les autres, parce qu'inacceptables. Si cette démarche, qui s'apparente à un processus de deuil, est parfois douloureuse à cause des émotions difficiles et de la solitude qu'elle peut générer, elle en vaut toutefois la peine. Prendre la responsabilité de nos façons d'être nous permet de goûter davantage aux plaisirs d'être véritablement en relation et amène à ressentir plus de liberté intérieure et d'estime de soi.

JE SUIS, DONC J'EXISTE...
UNE QUESTION D'AUTONOMIE

Johanne Bergeron

Pour se développer, tous les êtres humains ont à faire face à la quête de leur autonomie, un processus gratifiant et valorisant mais également ponctué d'embûches de toutes sortes. Plaisir et sentiment de réalisation de soi sont souvent ressentis lors de la séparation physique du giron familial, de l'obtention d'un emploi ou de l'acquisition d'une indépendance financière vis-à-vis des parents. Toutefois, pour certains, ces démarches se font moins aisément et même de façon douloureuse; le désir d'accéder à plus de liberté s'entremêle alors d'une peur de l'inconnu et des responsabilités nouvelles. Mais au-delà des manifestations concrètes de l'autonomie, se profile une autre dimension, celle de se séparer psychologiquement de ses parents. Ainsi, nous tenterons de cerner le concept d'autonomie, d'abord en le reliant à la famille, puis en en dégageant deux aspects fondamentaux, soit l'importance de développer son individualité et celle de prendre des risques.

L'impact de la famille

La quête de l'autonomie ne se limite pas à quitter ses parents ou à se débrouiller sans eux pour vivre. En effet, la séparation psychologique vis-à-vis des parents est un processus qui s'effectue progressivement; en fait, il commence dès notre tendre enfance et se poursuit tout au long de la vie. Accéder à plus d'autonomie sur le plan psychologique signifie que l'on se pose de plus en plus comme individu distinct (ayant ses propres besoins, émotions, pensées, etc.) non seulement de ses parents mais également des autres avec qui on interagit. Il est important de préciser ici que ce processus normal de séparation peut être plus ou moins entravé selon le milieu familial d'où l'on vient. En effet, on observe que les enfants (et plus tard, les jeunes adultes et adultes) issus de familles n'ayant pas ou peu favorisé la connaissance de soi et la confiance en soi, rencontrent davantage d'obstacles à devenir autonomes. Ceux et celles qui ont grandi dans un milieu où prédominent des relations empreintes de surprotection, d'autoritarisme, de négligence ou d'abus ont généralement une plus grande difficulté à s'individualiser ou à sentir que leur vie, leurs désirs et sentiments leur appartiennent véritablement. Des sentiments de vide intérieur, de l'anxiété, une incapacité à prendre des décisions et des conflits inter-personnels peuvent en découler, traduisant assez souvent une difficulté à faire face aux exigences de l'autonomie.

Quelques mythes sur l'autonomie

Pour acquérir une plus grande autonomie psychologique, il faut développer son individualité, c'est-à-dire découvrir ce qu'il y a d'uni-que en chacun de nous, et l'on peut y parvenir en prenant conscience de ses besoins, sentiments, désirs et valeurs. Sans toujours s'en rendre compte, ce que l'on croit être ses propres règles de conduite ou croyances provient en réalité de nos parents ou de la société. On peut aussi se comporter d'une façon qui va à l'encontre des valeurs fami-liales ou sociales; mais il s'agit souvent d'une réaction contre celles-ci plutôt que l'expression de sa véritable individualité. Ainsi, on se sent privé de ce qui pourrait réellement nous combler, on peut même se sentir emprisonné, voué à mener une vie plus ou moins satisfaisante de telle sorte que sans le faire délibérément, on se met soi-même des bâtons dans les roues.

Par exemple, on peut penser qu'une personne autonome doit être indépendante des autres, qu'elle ne devrait jamais avoir besoin de personne. Si l'on a appris au sein de sa famille que l'on doit toujours se débrouiller tout seul – croyance également répandue dans notre société – on peut se sentir menacé ou dévalorisé à la seule idée d'expri-mer certaines vulnérabilités ou certains besoins. Il est important de savoir que l'autonomie ne signifie pas une absence de vulnérabilité ou ne pas avoir besoin de personne, mais passe avant tout par la recon-naissance de ses besoins. Si l'on reconnaît notre besoin (par exemple, besoin d'être supporté ou écouté), on pourra alors trouver les moyens de le combler de la façon la plus acceptable pour soi (demander le support d'un ami, parler à un professeur, consulter un professionnel, etc.). Cette démarche n'est certes pas sans écueil, elle demande d'être attentif à ce qui se passe en soi. Une piste pour différencier ce qui est à soi de ce qui vient de la famille ou de la société, est de distinguer les « je devrais », « il faudrait », des « je ressens », « j'aimerais » (reflets de son individualité). Cette distinction permet de sentir ce qui nous habite intérieurement et ainsi recevoir ce qu'il y a de plus précieux en nous. Si ce travail intérieur peut mener à une réelle satisfaction de ses besoins et, ainsi, améliorer sa connaissance de soi et sa confiance en soi, il est fondamental de se rappeler que ce processus prend du temps et, surtout, qu'il ne s'agit pas d'une performance à atteindre. Ajoutons à cet égard que tenir un journal de bord est un outil très utile pour se guider dans sa réflexion personnelle.

Une autre croyance socialement très tenace prétend que développer son individualité, c'est se regarder le nombril et donc, être égoïste. En effet, se centrer sur sa vie intérieure peut donner l'impression de ne penser qu'à soi et de ne pas prendre les autres en considération. Pour être réellement à l'écoute des autres, il est essentiel qu'un individu puisse être à l'écoute de lui-même. La personne autonome se donne avec authenticité, à la différence de la personne égoïste qui s'impose aux autres ou de la personne dépendante qui vit en fonction des autres.

Elle fait des choix et prend des décisions fondées sur ses besoins réels, ses désirs ou sentiments et elle est prête à en assumer les conséquences qui sont parfois frustrantes. Renoncer à l'illusion du choix idéal ou de la solution parfaite fait partie du processus normal de maturation, et la personne autonome compose avec les contraintes inévitables de la réalité. Elle apprend à porter ses émotions et ne cherche pas à blâmer les autres pour ses erreurs ou ses frustrations. Débuter ses phrases par « je » (« je me sens blessé ») plutôt que par « tu » (« tu me blesses ») permet de se responsabiliser davantage par rapport à soi-même et aux autres, et donc à être moins égoïste ou dépendant. On peut alors avoir accès à plus de vérité et de maturité dans ses rapports avec autrui et, du coup, vivre des expériences interpersonnelles moins confrontantes et porteuses de plaisirs de toutes sortes, contribuant avec le temps à renforcer son estime de soi. Il serait par ailleurs intéressant de s'interroger sur le sens que l'on donne aux mots égoïsme et don de soi, et en profiter pour prendre conscience de l'origine de ces conceptions.

Oser prendre des risques

Souvent, on peut avoir de bonnes intentions, ou vouloir faire telle ou telle action, mais se sentir apeuré au point d'être paralysé quand vient le temps d'agir. On croit qu'il faut toujours avoir confiance en soi, qu'on ne doit jamais se tromper, ce qui nous amène inévitablement à se sentir bloqué dans certaines situations. Dans les faits, le processus d'individuation en est un d'essais et d'erreurs et on peut mentionner à juste titre que l'apprentissage de la marche chez l'enfant en constitue son prototype : l'enfant rampe et, lentement, il arrive à marcher, puis tombe, recommence, arrive à marcher de façon plus assurée et, peu à peu, il bâtit sa confiance pour progresser dans ses apprentissages. De façon analogue, des actions comme faire des démarches d'emploi, affirmer son opinion dans certaines situations ou exprimer des sentiments désagréables à certaines personnes peuvent susciter de la peur et il n'est pas réaliste d'exiger de soi de maîtriser du premier coup une situation inconnue ou angoissante. Prendre un risque, réfléchir ensuite sur ce qui a bien été et ce qui est à améliorer et se réessayer dans l'action, est une attitude autonome à développer. Se donner le droit à l'erreur de « tomber » de temps en temps aide à assouplir des exigences peut-être trop élevées vis-à-vis de soi-même, ce qui laisse alors la chance de vivre des succès et de ressentir un sentiment de fierté. Ainsi, les frustrations inhérentes à toute quête d'autonomie peuvent être plus faciles à supporter quand on se laisse la possibilité d'expérimenter de façon graduelle et réaliste. Quand la peur demeure paralysante malgré tous ses efforts pour l'apprivoiser, le fait de parler avec quelqu'un pour comprendre ce qui se passe est un pas de plus vers l'autonomie.

Même si la quête de l'autonomie peut être parfois éprouvante, surtout quand on découvre des aspects de soi indésirables ou que l'on prend conscience d'un faux pas, il est possible d'en apprendre un peu plus sur soi ou son histoire personnelle et, ainsi, prendre des décisions en harmonie avec ce qu'il y a de vrai en soi. Se laisser aller à vivre ce processus avec tout ce qu'il implique de joies et de peines, n'est-ce pas la voie à prendre pour accéder à plus de liberté intérieure, à un sentiment unique d'exister en soi et pour soi ?

Lectures suggérées

Saint-Arnaud, Yves. *Devenir autonome*, Montréal, Le Jour Éditeur, 1983.

Viorst, Judith. *Les renoncements nécessaires*, Paris, Éditions Robert Laffont, 1988.

S'AFFIRMER :
RISQUER D'ÊTRE SOI-MÊME

Pascale Poudrette

Les difficultés d'expression de soi représentent un problème pour la majorité d'entre nous à divers moments de notre vie. Nous éprouvons tous, dans certaines situations et avec certaines personnes, plus ou moins de difficulté à nous exprimer clairement et adéquatement. Par exemple, comment réagissez-vous lorsqu'un ami vous demande quelque chose que vous ne désirez pas faire ? Lorsque quelqu'un passe devant vous alors que vous attendez votre tour dans une file ? Lorsqu'une personne vous dérange dans votre travail ? Dans de telles situations, plusieurs éprouvent un malaise et ne savent trop quelle attitude adopter. Certains réagiront d'une manière plutôt effacée, d'autres avec une franche agressivité, alors que d'autres sauront se faire respecter, calmement et fermement. Ainsi, dans nos interactions, nous pouvons nous comporter, grosso modo, soit de façon passive, agressive ou affirmative. En observant nos propres réactions, nous pouvons remarquer que nous adoptons l'une de ces trois conduites selon les situations et les personnes avec lesquelles nous devons composer. Examinons de plus près ces trois façons d'interagir et leurs conséquences.

Le comportement passif

Lorsqu'un individu adopte un comportement passif, il a tendance à s'effacer devant les autres : il oublie facilement ses propres droits, besoins et sentiments, ou ne leur accorde que peu d'importance par rapport à ceux des autres. Cet individu peut éprouver de la difficulté à reconnaître ce qu'il veut, pense et ressent; ou encore, il peut devenir trop inhibé pour pouvoir s'exprimer. Il lui devient alors difficile de prendre des initiatives pour atteindre ses objectifs et il laisse les autres choisir à sa place. Dans de telles circonstances, l'individu peut se sentir frustré, angoissé, déprimé. Alors, en laissant tout le pouvoir aux autres, il en vient à se sentir impuissant et à se percevoir comme une victime. Cette façon de réagir a souvent pour but d'éviter tout conflit avec les autres. Quoique cette attitude puisse parfois être justifiée, elle s'avère en général nuisible pour la personne.

Le comportement agressif

Lorsqu'une personne adopte un comportement agressif, elle a tendance à ne penser qu'à elle-même. Contrairement à celle qui réagit passivement en oubliant ses droits et besoins, la personne au comportement agressif ne voit pas ceux des autres. Elle communique clairement et directement ce qu'elle souhaite, mais elle le fait sans tenir compte des autres. Cette personne peut menacer, punir, ridiculiser, humilier, rabaisser l'autre pour arriver à ses fins; elle atteint ainsi ses objectifs en suscitant de la peur chez les autres, qui en viennent alors à se soumettre à sa volonté. Bien que cette personne puisse à ce moment-là s'exprimer très clairement et se sentir valorisée, elle blesse les autres en ne les respectant pas et en décidant à leur place.

Il est aussi important de parler d'une autre forme d'agressivité, soit l'*agressivité indirecte* ou *comportement manipulateur*. Ici, le comportement prend une forme déguisée, non explicite, plutôt qu'une expression claire et directe. La personne qui adopte une attitude manipulatrice peut se servir de flatteries ou de chantage pour arriver à ses fins sans respecter les autres. Le but d'un tel comportement étant habituellement camouflé, cette conduite peut être efficace, au sens où la personne obtient ce qu'elle veut des autres. Par contre, les comportements agressifs, directs ou indirects, sont blessants pour ceux qui les encaissent; ils suscitent des sentiments d'amertume et de frustration qui risquent de se retourner contre la personne agressive. La personne qui réagit fréquemment de façon agressive se retrouve souvent seule et déprimée.

Le comportement affirmatif

La troisième façon d'interagir consiste à penser d'abord à soi, tout en tenant compte des autres. Ici, l'individu tente d'exprimer ce qu'il veut, pense et ressent d'une façon calme et honnête, tout en restant intéressé aux droits, besoins et sentiments des autres. Cette façon de se comporter implique deux types de respect : le respect de soi et le respect d'autrui. L'individu qui agit au mieux de ses intérêts, qui fait valoir ses points de vue, se défend, s'exprime sans détour, fait ses propres choix, et ce en tenant compte de son entourage, adopte alors une attitude affirmative. Il se sent ainsi valorisé et en paix avec lui-même. Le comportement affirmatif s'avère donc essentiel si nous voulons réaliser notre potentiel, exprimer notre créativité, protéger notre territoire vital et maintenir notre santé.

Les réactions affirmatives favorisent des relations épanouissantes où se développent la confiance mutuelle, la possibilité d'entente et la capacité de faire des compromis convenant aux deux personnes. À l'inverse, les comportements non affirmatifs conduisent généralement à des relations interpersonnelles possessives, c'est-à-dire non respectueuses de l'autonomie de chacun.

Reconnaître et ajuster ses réactions

Puisque chaque personne a sa propre histoire, il n'est pas possible de savoir avec précision comment telle personne en est venue à se comporter de façon passive, agressive ou affirmative, dans une situation ou l'autre. Cependant, quelques facteurs peuvent influencer cet aspect du comportement. Par exemple, c'est principalement à travers un processus appelé le *modelage,* c'est-à-dire l'observation et l'imitation de personnes importantes, que nous apprenons comment nous comporter. Si, en grandissant, notre entourage n'a pas manifesté ou valorisé l'affirmation de soi, notre façon actuelle de réagir sera vraisemblablement peu affirmative. Des comportements d'un certain type peuvent ainsi se transmettre de génération en génération. D'autre part, certains peuvent craindre de s'affirmer dans une situation parce qu'ils ont déjà été punis dans des situations semblables (perte de l'approbation des autres, colère, jugement d'autrui, etc.). D'autres facteurs, comme les pressions sociales, notre façon de penser, la méconnaissance de nos droits, peuvent également influencer notre attitude.

En analysant nos propres conduites, nous pouvons remarquer que nous adoptons des comportements différents d'une situation à l'autre. Par exemple, on peut être passif lorsque notre mère nous demande un service, manipulateur lorsqu'on désire emprunter de l'argent à un ami, agressif lorsque notre patron critique notre travail, et affirmatif lorsqu'on discute d'une sortie avec notre amoureux. Apprendre à mieux reconnaître nos réactions peut éventuellement nous amener à effectuer des ajustements pour améliorer la qualité de nos relations avec les autres et, par le fait même, la qualité de notre vie.

Bien entendu, dans la grande majorité des situations, l'attitude affirmative est la meilleure façon d'agir. N'oublions pas toutefois que le comportement affirmatif est un *idéal* vers lequel nous ne pouvons que tendre. Étant donné notre imparfaite nature humaine, notre démarche vers le comportement affirmatif idéal durera toute notre vie. Mais l'important, c'est d'être en route, de cheminer, d'apprendre…

Lectures suggérées

Boisvert, Jean-Marie et Beaudry, Madeleine. *S'affirmer et communiquer*, Éditions de l'Homme, 1979.

Alberti, Robert E. et Emmons, Michael L. *S'affirmer : savoir prendre sa place*, Le Jour, Éditeur, 1992.

RENCONTRER L'ÂME SŒUR ?
OUI, MAIS…

Nathalie Drouin

Vous vous sentez seul(e). Vous avez envie de rencontrer quelqu'un depuis longtemps, mais il y a quelque chose qui freine vos élans et nuit à vos tentatives. Vous avez peur. Parfois vous refusez les sorties ou évitez les situations sociales par crainte de ne pas être à la hauteur, de vous sentir ridicule ou de ne pas être intéressant(e). Vous en arrivez à penser que vous n'avez pas de charme. Vous appréhendez le rejet et le jugement négatif des gens. De plus, vous vous sentez piégé(e) dans un réseau social restreint. Ne sachant plus quoi faire, vous décidez d'aller vers les gens qui manifestent un intérêt certain à votre égard afin de minimiser les refus. Vous êtes déçu(e) et commencez à croire que voue êtes destiné(e) à être célibataire pour la vie…

Rencontrer l'âme sœur demande des efforts et de la patience. Si longtemps, le stéréotype des célibataires a été le vieux garçon ou la vieille fille frustré(e), laid(e) et peu intelligent(e), la réalité des années 90 est tout à fait différente. Les célibataires parmi les 20-40 ans sont plus nombreux qu'on imagine et les ruptures amoureuses, très fréquentes.

Rencontrer quelqu'un qui est potentiellement intéressant peut générer plus ou moins d'anxiété ou de gêne, selon le type de rencontre (tête-à-tête, soirée mondaine, « blind date », premier rendez-vous, etc.) et selon les expériences passées (refus, succès, déception, ambivalence, passion de courte durée…). Il est possible que vous ressentiez différents symptômes physiques, tels que palpitations cardiaques, transpiration, tremblements, étourdissements, malaise abdominal. Vous pourriez également rougir, bafouiller ou faire preuve de maladresse.

Comment augmenter vos chances de rencontrer l'âme sœur

Afin d'augmenter vos possibilités de rencontrer l'âme sœur, il est important *de bien vous connaître*, d'identifier vos besoins, vos goûts et vos limites. Vous vous dites peut-être que vous n'êtes pas assez bien ou que vous devriez d'abord corriger tel ou tel défaut avant d'essayer de rencontrer quelqu'un. N'oubliez pas que l'autre aussi a ses atouts et ses faiblesses et que personne n'est parfait. Cela vous aidera à vous sentir plus confiant(e).

En outre, il est souhaitable de *vous donner du temps* pour faire des rencontres. Cela implique, par exemple, d'élargir graduellement votre réseau social, d'aborder de nouvelles personnes, de planifier des activités. Vous pouvez renouer avec certaines connaissances ou anciens amis, amorcer des conversations avec les gens de votre entourage, poser des questions, parler de points communs, exprimer des opinions. Bien sûr, rencontrer des gens, c'est s'exposer à un certain stress. L'anxiété peut vous amener à éviter, à fuir les rendez-vous. Cette solution peut vous soulager sur le moment mais, à long terme, elle est nuisible car vous deviendrez plus anxieux. Vous isoler risque aussi d'alimenter votre sentiment de solitude et votre découragement. Bref, il s'agit d'y aller graduellement, de prendre des risques au fur et à mesure et ainsi apprendre à cerner vos besoins et vos attentes.

D'autre part, il est utile de *prêter attention à l'attitude que vous dégagez et d'observer celle des autres.* Vos gestes peuvent aider (ou nuire !) à l'impression que vous voulez faire. Par exemple, sourire, établir un contact visuel et écouter l'autre facilitent la communication et permettent de démontrer un intérêt. À l'inverse avoir les bras croisés, regarder souvent une tierce personne et bailler peuvent être interprétés comme une attitude fermée, désintéressée. Vous aussi êtes influencé(e) par le non-verbal de l'autre, surtout lorsque celui-ci est répétitif. Le décodage du non-verbal n'est pas toujours facile ou juste, mais il peut être un bon outil pour réduire l'incertitude souvent générée lors des premiers rendez-vous.

Enfin, pour faciliter les rencontres et augmenter les probabilités de trouver l'âme sœur, il est important *d'avoir des attentes raisonnables sur la personne recherchée et sur le déroulement des rendez-*

vous. Si certaines personnes ne savent pas ce qu'elles recherchent, d'autres sont trop exigeantes. Elles rayent de leur liste les gens qui ne remplissent pas tous leurs critères. Par contre, d'autres personnes s'emballent trop rapidement... Elles s'attendent à trouver l'âme sœur dès les premiers rendez-vous ce qui n'est pas sans causer beaucoup d'anxiété et de déception. Il est important de respecter son propre rythme et de ne pas sauter aux conclusions si le rythme de l'autre est différent du sien. Enfin, peut-être serait-il utile d'examiner vos convictions profondes. Beaucoup de gens cherchent activement à rencontrer l'âme sœur mais, dans le fond, ne croient pas vraiment qu'on puisse les aimer. Ils ou elles cherchent alors l'inaccessible, l'impossible et c'est comme si chaque nouvelle rencontre ajoutait une preuve supplémentaire à leur conviction de base.

À court d'inspiration ?

Pour ceux et celles qui sont prêts à passer à l'action mais à court d'inspiration, voici des suggestions pour rencontrer des gens et ainsi augmenter les probabilités de trouver la personne souhaitée...

Le *milieu scolaire* offre de multiples possibilités de rencontres. Il vous permet d'échanger avec beaucoup de personnes partageant au moins un intérêt commun... les études. Surveillez les babillards, plusieurs activités y figurent : fêtes, réunions départementales, spectacles.

Il y a aussi les *activités sportives et socioculturelles.* Les clubs sportifs et les endroits où ont lieu différentes activités socioculturelles ciblent une clientèle variée (et qui comprend nécessairement des célibataires !). N'oubliez pas que les lieux où se tiennent les gens reflètent souvent leurs intérêts. Si vous désirez augmenter les probabilités de rencontrer quelqu'un qui vous ressemble, fréquentez des lieux qui correspondent à vos intérêts réels.

Les *associations pour les gens seuls ou clubs de célibataires* organisent également des activités de tout genre. Habituellement le coût varie en fonction du type de sorties (marche en plein air, souper, soirée de danse, badminton, voyage dans le sud, etc.).

Parfois il suffit d'ouvrir l'œil dans *votre entourage*. Par exemple, plusieurs personnes intéressantes se trouvent parmi les voisins et collègues de travail ou d'étude. Il y en a aussi dans les supermarchés et dans les bars… Les amis des amis permettent également d'élargir le réseau. Aussi curieux que cela puisse paraître, les parcs sont aussi propices aux rencontres. Par exemple, le chien est un sujet qui se prête bien à la conversation ! Votre entourage et même l'internet peuvent vous servir à rencontrer des gens.

Il y a également les *agences de rencontres et les boîtes vocales*. Les 20-29 ans auraient de plus en plus recours à ces services… Contrairement aux boîtes vocales, la plupart des agences de rencontres font en général un premier filtrage des candidat(e)s. Dans tous les cas cependant, soyez prudent(e) et n'hésitez pas à poser des questions sur les services.

Somme toute, même si vous éprouvez de la gêne dans vos interactions sociales, vous pouvez vous donner les moyens de rencontrer des gens et augmenter les probabilités de trouver l'âme sœur. Bien entendu, il vous faudra déployer une bonne dose d'énergie, faire preuve de patience et être à l'écoute de vous-même mais c'est toutefois plus sûr que de demeurer chez vous à attendre que le téléphone sonne ou que quelqu'un cogne à la porte !

LE TANGO DE L'AMOUR

Johanne Bergeron

Depuis des temps immémoriaux, les humains n'ont cessé de chanter, peindre ou sculpter ce que leur inspirait cette muse universelle qu'est l'amour. Psychanalystes et psychologues se sont penchés sur ce grand mystère de la vie et ont tenté, à leur manière, d'en saisir l'essence. Malgré toutes les analyses et les théories, le phénomène de l'amour possède un caractère inexplicable qui ne cesse de nous émouvoir et de nous faire danser...

L'intimité et la danse amoureuse

Au-delà de ses fonctions de perpétuation de l'espèce, l'amour vient combler un besoin primordial qu'a l'être humain d'aimer et d'être aimé. Fondamentalement, la relation amoureuse répond à notre besoin d'être lié à une personne significative qui prend la première place dans notre cœur et pour qui nous occupons également la place la plus importante. L'intimité peut être comparée à une danse où les deux partenaires, par le jeu de la proximité et de la distance, ajustent leurs pas en fonction de ce qu'ils ressentent l'un face à l'autre. Par exemple, si notre partenaire semble devenir plus distant en réagissant moins à nos besoins, il se peut que nous ressentions une certaine menace. Plusieurs réactions peuvent alors surgir, notamment la colère, la peur, le rapprochement sexuel, dont la signification est de recréer la proximité avec la personne aimée et de rééquilibrer le lien d'attachement.

Le lien intime qui se développe entre deux personnes devient un lieu leur permettant d'exprimer leurs émotions, leurs besoins et leurs désirs. Sans un dévoilement authentique de ce que chacun ressent, on ne peut parler de véritable intimité. Le partage mutuel de besoins de dépendance, comme celui d'être sécurisé, tenu ou réconforté, est nécessaire pour que le lien d'attachement se crée et se maintienne. En ce sens, il est naturel de régresser en couple, c'est-à-dire se laisser vivre ses vulnérabilités en présence de l'autre. S'abandonner permet d'approfondir le contact avec l'autre, tout en nous donnant accès à la richesse de notre monde intérieur, et ainsi développer notre individualité et faire évoluer notre moi le plus intime.

Je te suis, tu me fuis; je te fuis, tu me suis...

S'il est essentiel d'être interdépendant dans un couple, il peut toutefois arriver que la dépendance par rapport à l'autre devienne excessive ou encore, ne s'exprime pas ou peu. Cela entrave le développement de l'intimité et peut devenir une source d'insatisfaction pour l'un ou l'autre des partenaires. La souffrance peut alors s'exprimer par la peine, la sensation de manque, l'insécurité, la rage, les sentiments dépressifs, la dévalorisation de soi ou de l'autre ou, au contraire, par une anesthésie émotionnelle et un retrait affectif.

Par exemple, vous vous sentez mal parce que votre *chum* ou votre *blonde* ne vous démontre pas assez de gestes affectueux. Vous lui en parlez, mais vous n'observez aucun changement; il y a tantôt querelle à ce sujet, tantôt de lourds moments de froid entre vous. La relation devient tendue, vous cherchez peut-être à rendre votre partenaire jaloux ou menacez de rompre. Il se peut que vous vous sentiez angoissé ou que vous le blâmiez, ouvertement ou non, en espérant que la situation change.

Le besoin d'être rassuré de l'amour de l'autre et de protester lorsque l'attachement n'est pas clairement nommé est tout à fait légitime. Dans cet exemple, les partenaires n'arrivent pas à trouver le rythme sur lequel ils prendraient plaisir à danser ensemble. L'un se ferme et l'autre n'accepte pas ce que son partenaire est en mesure de lui donner. Une lutte de pouvoir et de contrôle s'installe où il semble que plus l'un pourchasse, plus l'autre s'esquive... L'intimité est alors compromise et devient plus difficile à développer.

Dans une telle dynamique, la personne en attente gagnerait à réévaluer sa façon de composer avec ses besoins affectifs. Elle désire peut-être, plus ou moins consciemment, que l'autre réponde à tous ses besoins. S'investir dans d'autres champs d'intérêts ou d'autres relations sociales permet de s'estimer davantage et de moins attendre que le couple ne soit l'unique source d'amour. Il est intéressant de constater que, lorsque la personne dépendante dans le couple devient plus autonome, le rapport entre les partenaires peut s'inverser, mieux s'équilibrer ou, au contraire, s'effriter selon la capacité de l'autre à s'adapter.

L'envers de la médaille de la dépendance est la contre-dépendance, c'est-à-dire une défense contre la dépendance. Les besoins de dépendance sont donc présents mais ne sont pas reconnus ou sont mal assumés, ce qui se traduit par des dehors d'auto-suffisance ou par une absence de disponibilité émotionnelle à soi ou à l'autre. Dans notre société qui valorise beaucoup l'autonomie et la performance, il peut sembler plus sain de ne pas exprimer sa dépendance, même en couple. Il est toutefois illusoire de croire que nous pouvons, à nous seuls, répondre à tous nos besoins affectifs. L'être humain a besoin de ses semblables pour évoluer et s'épanouir.

Il se peut que le partenaire fuyant ait une difficulté à reconnaître ou à gérer son propre malaise face à la demande de l'autre. Un tel malaise sous-tend parfois une peur de ses propres besoins de dépendance. Le sentiment d'attachement peut être plus ou moins camouflé par le besoin de se protéger contre la menace, réelle ou appréhendée, de l'intimité. La peur de la proximité serait à explorer si on a plus de difficulté à exprimer ses émotions ou vulnérabilités.

Dans l'un ou l'autre des exemples précédents, si la relation se maintient malgré l'insatisfaction, c'est qu'elle a un sens. Pour comprendre ce qui se passe pour soi dans une telle relation, on peut s'interroger sur les motifs qui nous incitent à y rester. D'abord, les gens trouvent toujours pénible de briser un lien d'attachement, aussi instable soit-il. C'est un peu comme si on craignait une souffrance plus grande que celle éprouvée présentement. Aussi, la peur de se retrouver seul ou un échec amoureux antérieur peuvent rendre plus vulnérable à la perte d'un lien. En s'interrogeant sur son choix de partenaire, on se rend compte que l'on peut danser plus aisément avec telle ou telle personne, ce qui peut donner lieu à une expérience amoureuse plus satisfaisante.

Une autre difficulté souvent rencontrée est la confusion entre l'amour-passion et l'amour intime. Il arrive que l'on confonde l'état amoureux fusionnel, lié à l'illusion de ne plus être seul, et l'amour intime, construit lentement et où les deux partenaires sont liés mais distincts. Bien que l'un n'exclut pas l'autre, l'un n'amène pas nécessairement l'autre. Cette distinction est très importante puisqu'elle permet de contrer la pensée magique voulant qu'une relation amoureuse s'installe rapidement et doit toujours être agréable. Même si nous avons un « bon » partenaire de danse, il est normal que les mouvements ne s'harmonisent pas toujours et qu'il y ait des ajustements à faire. Une relation intime, pour être enrichissante, prend du temps à construire et doit passer à travers l'épreuve de la réalité de chacun.

Pour le plaisir de danser

En amour, si on veut développer sa capacité à être en relation intime, on peut certainement améliorer certains aspects. D'abord, l'amour pour soi est tout aussi important à cultiver que l'amour pour l'autre. Apprivoiser sa solitude est fondamental si on veut devenir un bon partenaire de danse. Être bien avec soi-même nous rend plus apte à vivre des relations amoureuses satisfaisantes. Aussi, apprendre à se dévoiler auprès d'une personne avec qui on choisit de le faire, ouvre aux plaisirs insoupçonnés de l'intimité.

Il pourrait être révélateur de repenser à notre première relation amoureuse véritable, soit notre première figure d'attachement, le plus souvent la mère, bien qu'il peut s'agir du père ou de la personne qui s'est occupée de nous. En effet, le type d'attachement que nous créons avec un partenaire amoureux reflète en quelque sorte notre tout premier lien. Explorer cette relation, de même que les modèles de couples auxquels nous avons été exposés, peut mettre en lumière des ressemblances avec notre façon d'être en relation amoureuse. Une telle réflexion aide à voir différemment nos modes de relation. Ainsi, en se donnant les moyens et surtout le droit d'évoluer, la danse amoureuse peut devenir une source de liberté et de plaisir, capable de faire émerger ce qu'il y a de plus créatif en soi.

Références

Delis, Dean et Phillips, Cassandra. *Le paradoxe de la passion*, Paris, Éditions Robert Laffont, 1992.

Gibran, Khalil. *Le prophète*, 1983, Boucherville, Éditions de Mortagne.

Johnson, Susan. « Love : The immutable longing for contact », in *Psychology today*, vol. 27 (March/April 1994), p. 32-37, 64-66.

POURQUOI
EST-CE SI DIFFICILE DE S'ENGAGER ?

Gérald Lemieux

Qui n'a pas connu au cours de sa vie, en particulier au début de l'âge adulte, cette difficulté à s'engager dans une voie plutôt qu'une autre ? Tout au long de notre existence, nous devons faire des choix. Certains sont faciles, d'autres plus difficiles parce qu'ils entraînent des conséquences importantes pour notre destinée, notamment dans nos études, nos choix de carrière, nos relations amoureuses.

Bien que tout choix implique doutes et hésitations, il arrive parfois que la peur de s'engager soit si forte qu'on se sente paralysé. On a alors l'impression de conduire sans cesse dans un rond-point sans jamais oser prendre une direction. Chacun essaiera de justifier cette peur à sa façon en se disant : « Pour s'engager, il faut avoir le feu sacré. Je ne veux pas me mettre la corde au cou. Je veux m'assurer de ne pas me tromper. Il sera toujours bien assez tôt pour s'engager. »

Faut-il trouver la passion ?

Tout engagement repose à la base sur un choix et pour y arriver, il faut connaître ses besoins et ses désirs. C'est un principe fort simple mais souvent oublié. Il est surprenant de constater à quel point la difficulté de s'engager découle d'un manque de connaissance de soi. En effet, décider de la voie à prendre est presque impossible si on ne connaît ni ce qu'on aime ni ce qu'on désire.

D'aucuns diront : « Si au moins j'avais une passion pour quelque chose, tout serait clair et je m'investirais à fond ! » Cette recherche d'une passion est toutefois une illusion. En fait, elle camoufle le souhait plus ou moins conscient de trouver une solution idéale, rapide et sans problème. Aussi, l'absence de passion ne signifierait-elle pas que l'on tente de vivre la vie de quelqu'un d'autre ou que l'on aspire à la vie, souvent idéalisée, de personnes que nous admirons ? Mais, comment avancer dans la vie si on n'est pas dans ses propres souliers !

Une passion véritable se développe lorsque l'on sait reconnaître ses besoins intérieurs. Une passion se forge avec le temps; elle demande investissement de soi et persévérance dans l'effort. Elle naît du plaisir d'apprendre et d'acquérir des compétences malgré les difficultés. Il en est de même pour la connaissance de soi qui s'acquiert au rythme des expériences quotidiennes. Encore faut-il prendre le risque d'expérimenter !

La peur de s'impliquer est aussi intimement liée à l'estime de soi qui, si elle est faible, entraîne inévitablement un manque de confiance en soi et en ses capacités. On pense alors qu'on ne sera jamais à la hauteur, qu'on ne possède pas l'énergie et les ressources intérieures pour mener à bien ses ambitions et ses rêves. Tout engagement dans une activité ou dans une relation apparaît comme une montagne insurmontable. On reste donc sur place, immobilisé par nos craintes. On se laisse emporter par le courant, attendant que quelqu'un veuille bien nous pousser ou nous dire quoi faire. Acculé au pied du mur, ce sont les événements extérieurs qui nous forcent à bouger.

À la recherche de l'idéal

Parallèlement, des attentes personnelles trop élevées ne représenteraient-elles pas un obstacle à l'engagement ? Dans notre société, on est porté à croire que la réalisation de soi ne peut passer que par l'atteinte de la perfection. Pour être reconnus, on se doit d'être les meilleurs en tout. Et cette façon de penser renforce nos hésitations. On voudrait tout réussir du premier coup. La moindre erreur nous apparaît comme une menace à notre idéal de perfection. On laisse alors le train passer, préférant ne pas mal paraître aux yeux des autres, rêvant toujours à une solution idéale. Ainsi, on peut attendre d'un choix de carrière qu'il réponde à toutes nos exigences avant même de l'avoir expérimenté.

Avec le temps, ces comportements deviennent lourds, car ils empêchent d'avancer. Ils ne procurent aucune véritable satisfaction et n'aident ni à se connaître ni à se bâtir une confiance en soi. Celle-ci n'est d'ailleurs pas innée, elle se crée au fil des expériences.

Un des arguments souvent invoqué pour ne pas s'impliquer est le désir de conserver sa liberté. Pourquoi se contenter d'un seul choix alors qu'il y a tellement de choses qui nous intéressent ? On préfère se garder le plus grand nombre de portes ouvertes. Pourquoi risquer de perdre une occasion ! Malheureusement, cette attitude provoque l'effet contraire, car elle nous emprisonne dans un éparpillement continuel. On commence tout et on ne finit rien, passant d'une chose à l'autre par peur de manquer la bonne occasion. Une impression de n'être jamais au bon endroit au bon moment et que tout semble plus intéressant ailleurs. On arrive alors difficilement à vivre le moment présent et à en bénéficier. Le plaisir ne dure que le temps de l'excitation provoquée par la nouveauté. Cela nous laisse avec le sentiment de ne jamais aller au fond dans ce que l'on entreprend.

Et si on s'engageait !

Paradoxalement, choisir de s'engager libère. En surmontant nos peurs de ne pas être à la hauteur, de commettre des erreurs ou de regretter nos choix, on se libère de l'immobilisme et de la prison du perfectionnisme. S'engager, c'est être en mouvement, c'est oser vivre ses expériences en acceptant d'en assumer les conséquences, bonnes ou mauvaises. En outre, l'engagement procure un sentiment d'emprise, de contrôle sur notre vie.

Bien sûr, on aimerait tout avoir, tout savoir tout de suite. Mais l'expérience montre que seul un travail constant permet de réaliser nos ambitions. C'est en essayant qu'on apprend à mieux se connaître et à acquérir de la confiance.

S'engager, c'est aussi savoir renoncer. Renoncer au fait qu'on ne pourra pas tout faire, tout comprendre, tout réaliser dans une vie. Accepter en quelque sorte ses limites et celles de la réalité.

Par contre, tout choix n'est jamais définitif. Il faut se donner le droit de reculer, de faire marche arrière, le temps de se sécuriser, de solidifier ses acquis. La vie est un continuel va-et-vient entre des moments d'expansion, d'avancée et des périodes de retrait et de ressourcement.

CETTE SEXUALITÉ
QUI NOUS DÉVOILE

Johanne Bergeron et Nili Benazon

Si tous s'entendent sur le fait que la pulsion sexuelle est un phénomène inné, on ne peut cependant pas nier que la façon de l'exprimer dépend en partie des valeurs d'une société ou d'une culture spécifique. En effet, ceux et celles qui ont grandi au Québec sont familiers avec l'influence du catholicisme sur les mœurs sexuelles; il n'y a pas si longtemps, la sexualité vécue hors du contexte matrimonial était considérée comme un péché et cette réalité est encore bien actuelle pour certains. En dépit d'une permissivité sexuelle maintenant admise, ceux qui ont été éduqués dans les années 60 et 70 sont susceptibles d'éprouver des conflits d'ordre sexuel en raison des nombreux messages contradictoires reçus de la famille, des pairs et des médias.

Plusieurs femmes, par exemple, se sentent ambivalentes quant à l'expression de leur désir sexuel car même si elles ont la « permission sociale » de le faire, elles craignent souvent d'être mal perçues et se sentent coupables si elles osent; ou encore, certains hommes mis en présence de femmes qui affirment davantage leur désir sexuel se sentent incapables de refuser une avance même s'ils n'en ont pas envie, de peur de ne pas paraître virils. Ainsi, beaucoup d'hommes et de femmes ressentent une énorme pression à répondre à un standard sexuel, pression souvent exacerbée par la diffusion médiatique des dernières découvertes en matière de sexualité, telles que le point G, les orgasmes multiples et simultanés. Cette pression peut se traduire par une anxiété de performance ou un sentiment d'insuffisance; dans certains cas, différents problèmes sexuels peuvent en découler (panne de désir, anorgasmie, éjaculation précoce ou tardive, troubles érectiles, etc.).

Si le milieu socioculturel détermine ce qui est normal ou anormal, approprié ou non sur le plan sexuel, la sexualité demeure un domaine entièrement personnel. Notre façon d'envisager et de vivre notre sexualité résulte de tout ce que nous avons appris – et n'avons pas appris – au cours de notre éducation, et notre personnalité s'exprime à travers notre manière d'être au plan sexuel. En effet, ce que nous faisons, pensons et sentons dans notre vie sexuelle reflète bien nos caractéristiques personnelles, car l'être humain fonctionne comme un tout. Il va souvent de pair qu'une personne ayant développé des inhibitions sexuelles présente aussi une difficulté à ressentir du plaisir dans les autres sphères de sa vie. Aussi, la nature des relations sexuelles vécues entre partenaires donne une bonne idée du type de relation qui existe entre eux. Ainsi, la rencontre sexuelle est une forme de communication dont la signification est particulièrement fonction du degré d'intimité entre les partenaires.

L'intimité affective et ses rapports avec la sexualité

L'intimité, c'est ce qui se développe lorsque les partenaires partagent non seulement leur corps, mais également ce qu'ils sont intérieurement, c'est-à-dire leurs besoins, leurs désirs, leurs sentiments, etc. Bien que certains soient prêts à vivre cette proximité à la fois physique et psychologique, beaucoup se sentent ambivalents par rapport à l'attachement affectif qui accompagne l'intimité. Se dévoiler équivaut à se montrer vulnérable face à l'autre et, selon l'histoire personnelle de chacun, à vivre plus ou moins d'insécurité émotionnelle. Ainsi, plusieurs s'arrangent consciemment ou non pour maintenir la « distance affective » nécessaire afin de se protéger en ne se dévoilant pas ou peu, d'où les problèmes assez fréquents associés à l'engagement amoureux.

La difficulté à s'ouvrir peut se manifester par un désir très fort de toujours vouloir plaire au partenaire, faisant en sorte que les besoins et désirs de l'autre passent constamment avant les siens. Derrière ce désir de ne jamais décevoir l'autre se cache un manque de connaissance de ses propres besoins et désirs ou une crainte d'être rejeté.

Beaucoup peuvent également se sentir menacés par l'intimité à cause de blessures affectives antérieures (deuil amoureux non complété, abus sexuel, etc.) et trouvent risqué, voire impossible, de se réengager avec une autre personne, par crainte de voir émerger trop de douleur. Ayant cependant des besoins de contact physique à combler, comme celui de toucher et d'être touché, certains peuvent se servir de la sexualité pour tenter d'y répondre, soit parce qu'ils les confondent avec les besoins sexuels et sont incapables de les exprimer autrement, soit parce qu'ils ont peur de les affirmer en tant que tel.

Bien que cela puisse constituer un exutoire à court terme, il en résulte souvent tout un cortège de déceptions et de frustrations puisque les besoins initiaux de tendresse ne sont pas comblés et que les besoins sexuels ne peuvent être remplis de façon réellement satisfaisante que s'il existe de l'affection entre les partenaires. En effet, les relations sexuelles trop vite consommées amènent les partenaires à vivre une sorte de fausse intimité en étant physiquement très proche sans toutefois avoir pris le temps de cultiver un climat de confiance et de respect qui permettrait aux sentiments d'affection et éventuellement d'amour de se développer. Ainsi, plus le décalage entre l'intimité sexuelle et affective est grand, plus les partenaires risquent d'être inconfortables ensemble. Ce malaise peut prendre plusieurs formes et, dans certains cas, peut entraîner un problème sexuel qui devient alors un moyen d'exprimer un désir plus ou moins conscient de maintenir ou de prendre une distance émotive face à l'autre.

Des pistes de solution aux problèmes sexuels

Les causes d'un problème sexuel peuvent être multiples et sa signification ne peut être saisie qu'en évaluant le contexte dans lequel il s'inscrit. S'il n'existe pas de mode d'emploi précis pour régler un problème sexuel, quelques suggestions peuvent toutefois s'avérer utiles. Être aux prises avec un problème sexuel peut devenir une excellente occasion d'en apprendre un peu plus sur soi ou sur sa façon d'interagir avec son partenaire. Tenter de découvrir le sens qu'a pour soi la sexualité ou le problème sexuel peut constituer un premier pas vers la connaissance de son « moi sexuel ». Aussi, une exploration de ses pensées et de ses sentiments en rapport avec la sexualité peut donner accès à quelques-uns des messages reçus dans son éducation et d'en constater l'impact sur sa façon de voir ou d'exprimer sa sexualité.

Bien que cette introspection puisse paraître difficile pour beaucoup elle peut amener une plus grande conscience de ses besoins réels, de ses désirs et craintes à l'égard de sa sexualité; ceci peut entraîner des changements graduels dans la manière de se percevoir, de se comporter et de se sentir sexuellement. Par exemple, certains seront plus sensibles à leurs besoins de proximité physique non sexuels et pourront ainsi découvrir avec leur partenaire des zones sensuelles méconnues jusqu'alors; d'autres voudront s'expérimenter sexuellement d'une façon différente afin de se connaître sous d'autres aspects (autoérotisme, relation homosexuelle, réalisation d'un fantasme, etc.). La découverte de son corps et de ses différentes sources de plaisir fait partie intégrante du processus de résolution d'un problème sexuel; les sensations agréables et moins agréables constituent en quelque sorte une référence interne permettant d'orienter ses pratiques sexuelles en fonction de ses préférences.

Si l'on a un partenaire avec qui on veut tenter de résoudre un problème sexuel ou améliorer sa satisfaction, il est essentiel de partager ses besoins, ses désirs et ses références soit de façon non verbale, soit de façon verbale puisque le partenaire n'est pas en mesure de tout deviner. Deux principes sont importants à retenir si on veut bien communiquer. Premièrement, l'utilisation du « je » est une règle d'or. Commencer ses phrases par « j'apprécierais..., je n'aime pas... » prédispose l'autre à mieux écouter et fait en sorte que le message est moins perçu comme une attaque ou un blâme alors qu'il le serait avec des phrases débutant par « tu » (« tu ne fais jamais ceci ou cela... »). Deuxièmement, le partage de ses peurs, si on craint la réaction de son partenaire, peut être fort bénéfique car ceci amène souvent à dédramatiser une situation qui pourrait empêcher la libre expression des besoins ou insatisfactions.

Enfin, un dernier mot pour dire que tous et chacun a droit à une vie sexuelle satisfaisante et que voir la sexualité en tant qu'outil de connaissance de soi et de l'autre peut s'avérer un bon moyen pour y parvenir.

Références

Barbach, Lonnie. For Each Other : *Sharing Sexual Intimacy*, New-York, Signet, 1984.

Zilbergeld, Bernie. *Male Sexuality*, New York, Bantam Books, 1978.

Avard, Jacqueline et Lamoureux, Gérald. *Guide pratique pour le diagnostic et le traitement des dysfonctionnements sexuels,* Université de Montréal, Service d'orientation et de consultation psychologique, 1979.

ARTISAN
DE SON MÉTIER

POUR LE PLAISIR DE CRÉER

Anouk Beaudin

La culture occidentale stimule, nourrit tout ce qui est de l'ordre de la pensée, de la raison, notre capacité de réfléchir, d'analyser, d'ordonner..., faisant souvent abstraction de notre potentiel créatif. La créativité fait appel à d'autres ressources que la pensée et procure des bienfaits différents. Être créatif, dans un sens large, constitue une attitude face à soi et au monde. La personne créative vit son existence non pas comme un projet déterminé à l'avance, mais plutôt comme une expérience qu'elle découvre au fur et à mesure qu'elle se déroule.

L'individu créateur

De nombreux auteurs se sont attardés à définir les caractéristiques propres aux personnes créatives. La première d'entre elles constitue une ouverture et une attention aux expériences présentes internes (issues de l'intérieur de la personne) et externes (issues de l'extérieur de la personne). L'ouverture à l'expérience implique la capacité de supporter et d'explorer l'inconnu, de tolérer des situations incertaines et chaotiques. À l'opposé de cette ouverture se trouve une attitude défensive et rigide. Une autre caractéristique propre à la personne créative est la capacité d'évaluer son travail ou sa compétence selon ses propres critères plutôt qu'en fonction de l'opinion d'autrui ou d'un consensus social extérieur. La personne se demande si elle fait quelque chose de satisfaisant pour elle, si elle exprime bien ce qui est important pour elle.

L'ouverture et la confiance en soi favorisent l'expression de ce qu'il y a d'unique et de spécifique en chacun de nous. Inversement, l'expression nourrit la confiance en soi et mène à l'ouverture. Mais au départ, il faut accepter de prendre des risques, de se lancer dans l'inconnu, car l'expression est toujours l'expression de quelque chose que l'on ne connaît pas. On communique ce que l'on sait mais on exprime ce que l'on pressent, ce qui n'est pas manifesté mais est là en potentiel. La créativité est en quelque sorte l'ouverture à l'inconnu, le risque de l'inconnu en nous. Selon Denis Pelletier, « l'essentiel dans le phénomène de l'expression est qu'il s'agit de manifester ce qui est subjectif, ce qui est vécu de l'intérieur par celui qui est sujet de sa propre expérience et qui occupe par conséquent un point de vue unique au monde. Cela permet de définir l'expression comme la révélation de ce qui est à travers qui je suis. »

Du nouveau en soi

L'acte créatif nous révèle à nous-mêmes. Le produit créatif quel qu'il soit, mots, poème, œuvre d'art ou invention, renseigne le créateur sur lui-même. L'artiste se découvre à travers sa production, c'est-à-dire que le produit lui dévoile quelque chose sur lui qu'il ne connaissait pas avant de créer. On peut pressentir ce que l'on va exprimer mais on ne le sait jamais avant de l'avoir fait. L'expression peut sembler nous éloigner, nous faire sortir de nous-mêmes mais en réalité on n'en sort pas, on y plonge plus profondément. On est distrait de nos petites préoccupations narcissiques, de nos soucis quotidiens pour être transporté dans une dimension plus vaste. Quelle surprise alors de découvrir que nous sommes beaucoup plus grands que ce que nous croyons être avec notre conscience étroite.

Lorsqu'on laisse notre spontanéité s'exprimer librement, sans chercher à l'entraver, à la diriger par une activité mentale logique et analytique, nous sommes souvent surpris, amusés, parfois dérangés de découvrir dans notre création l'expression de couleurs, de sentiments, de pensées, d'attitudes qui ne nous sont pas habituels, parfois même étrangers ou opposés. Ainsi une personne qui a toujours eu un caractère fougueux et passionné peut s'étonner de créer des toiles saturées de couleurs pastel, de lignes droites et de thèmes bucoliques. Tandis qu'un écrivain qui ne s'est jamais connu d'intérêts pour les intrigues policières, se mettra à en écrire plusieurs.

La créativité ne s'applique pas seulement à l'art. Nous pouvons être créatifs lorsque nous avons à produire des idées ou à résoudre des problèmes. Ici encore, l'essentiel consiste à taire notre jugement et notre pensée logique afin de laisser émerger librement toutes les idées et les solutions qui nous passent par la tête. Cette attitude nous permet de sortir du cadre de référence et d'aborder les situations sous un angle nouveau. Lors de la rédaction d'un travail, par exemple, après avoir fait les lectures nécessaires, on peut, dans un premier temps, risquer spontanément tout ce que l'on a à dire sur le sujet, même si cela est flou et incertain. Écrire les mots comme ils viennent, sans chercher à les diriger. Puis, par après seulement, tenter d'étoffer et de justifier là où il le faut. Lors de cette première ébauche, l'intuition, la sensibilité et l'inconscient interviennent souvent pour fournir des idées plus personnelles ou établir des liens nouveaux. Plusieurs scientifiques (Poincaré, Einstein, etc.) et artistes ont témoigné du rôle incontestable du travail de l'inconscient dans l'invention scientifique ou artistique. C'est souvent lors d'un moment de détente ou lors d'un réveil, après avoir abandonné temporairement une problématique sur laquelle l'auteur s'était longuement penché, que la solution, l'idée ou l'œuvre apparaît subitement.

Obstacles à la créativité

Certains ont tenté de déceler des techniques qui donneraient accès plus rapidement à la créativité mais leur utilité s'avère limitée car on ne peut forcer, ni contrôler l'inspiration, qui a un caractère plutôt capricieux. Il est cependant utile de dénoncer les obstacles qui peuvent priver quelqu'un de l'accès à ses ressources créatrices. La volonté de diriger, l'analyse et la rationalité sont certainement les pires obstacles à la spontanéité créatrice. La créativité donne accès à une réalité que nous ne pouvons atteindre par la seule pensée logique et rationnelle. « Celui qui résiste à l'expérience de s'abandonner mise constamment sur ce qu'il connaît. Cela explique pourquoi il veut tant diriger sa pensée. Il veut qu'elle aille dans le connu, mais le connu est une impasse; il ne peut inventer, ni improviser. » (D. Pelletier) On crée avec sa sensibilité. C'est elle qui indique que telle chose doit être dite ou non. Ça n'a rien à voir avec la compréhension. Est-ce qu'un peintre

« comprend » pourquoi il a besoin de telle couleur à tel endroit, un musicien, tel rythme ici... Il le sent. C'est la sensation qui importe et non les idées.

L'autre piège majeur à la créativité est le souci d'un résultat valable. On ne peut créer si l'on est centré sur la recherche d'un profit. Cela entrave définitivement la spontanéité nécessaire à l'expression. De plus, le fait de travailler sans se préoccuper de la valeur du résultat favorise un état de relaxation mentale propice à l'émergence de l'intuition. Il faut oublier la finalité de notre geste pour être attentif à ce qui ce passe dans l'ici et maintenant. Si on écrit un roman, on ne doit pas imposer une fin au texte parce qu'elle paraît intéressante et originale. Non, on doit écrire les mots que notre sensibilité nous dicte et découvrir la fin en même temps qu'elle s'écrit sur le papier, sans intervenir avec notre volonté. Quel serait l'intérêt d'écrire un roman dont on connaîtrait tout le dénouement à l'avance. Cela est difficile à saisir tant qu'on ne l'a pas expérimenté. C'est la sensibilité et non la pensée qui doit guider le texte, le tirer mots par mots sans que l'auteur ne dirige volontairement la création.

Écouter en toute humilité ce qui ce passe en nous, être présent à soi-même dans une attitude d'abandon, voilà ce qui favorise la créativité. L'abandon fait peur, surtout pour celui qui a toujours placé la pensée logique en priorité, pour celui pour qui tout passe par l'analyse, l'explication. La peur d'être dépassé, d'être envahi, de se perdre peut être terrifiante. L'émotion et l'énergie qu'entraîne l'acte créatif sont parfois difficiles à porter pour celui qui n'en a pas l'habitude. Il faut alors apprivoiser l'expression créatrice doucement, en risquant de brefs et réguliers moments de spontanéité.

L'apanage de tous

Chacun peut se permettre d'être créatif indépendamment de son savoir et de son talent. Le désir, la sensibilité, les expériences émotionnelles et intellectuelles constituent la base de la créativité. Tout le monde peut créer, car tout le monde a un bagage d'expériences propres. Ici ce n'est pas le résultat qui importe, mais le plaisir de s'abandonner, de s'exprimer sans chercher à se justifier, à rentabiliser, à produire quelque chose de valable. Il s'agit d'une activité ludique et gratuite. Tandis que la pensée permet de créer des concepts abstraits et mène à la vérité, la créativité donne une sensation de vie et mène à la jouissance d'être.

Lecture suggérée

Pelletier, Denis. *L'arc-en-soi : Essai sur les sentiments de privation et de plénitude,* Éditions Robert Laffont-Stanké, 1981.

LA CONFIANCE EN SOI

Marie-Andrée Linteau

« Si j'avais confiance en moi, je ferais des tas de choses. J'ai juste un petit problème de confiance en moi, à part ça, tout va bien dans ma vie. Pourriez-vous me donner quelques trucs pour être plus sûr de moi ? » Voilà des commentaires très fréquents de la part des gens qui consultent un psychologue pour la première fois.

Expression extrêmement courante, presque banale, la confiance en soi est un concept très large recouvrant une multitude de réalités. Nous en dégagerons deux dimensions plus spécifiques.

Être et faire

Lorsque nous parlons de confiance en soi, nous faisons géné-ralement référence à deux idées principales : *la confiance d'être* et *la confiance de faire*.

- La *confiance d'être* est cette certitude intérieure d'être une personne valable, aimable en soi, avec ses qualités et ses défauts, ses émotions et ses besoins;

- La *confiance de faire* est la capacité de réaliser des choses par soi-même, d'acquérir et d'exercer des habiletés parti-culières dans un domaine ou un autre.

La première réfère davantage à ce que l'on pourrait appeler l'estime de soi et la deuxième à la compétence. Ces deux réalités sont souvent confondues.

Comment alors les distinguer ? Voici quelques exemples d'un manque important d'estime de soi :

- Vous avez l'impression d'être totalement inutile et inintéressant lorsque vous ne rendez pas service aux autres ou que vous ne répondez pas à leurs besoins;

- Vous avez un échec scolaire ou simplement une note plus basse que d'habitude et vous avez l'impression que vous êtes une ratée et que ça ne sert plus à rien de continuer;

- Malgré tous vos succès et votre popularité, vous avez extrêmement peur de faire une erreur ou de décevoir les autres;

- Vous êtes du type super-indépendant et vous vous faites une gloire de n'avoir besoin de personne;

- Vous êtes incapable de supporter que la personne que vous aimez ait une vie en dehors de vous ou encore vous craignez comme la peste le moindre conflit avec les autres, l'harmonie étant votre règle d'or.

Et la liste pourrait s'allonger. On constate d'après ces exemples que l'enjeu, dans l'estime de soi, est centré sur la conviction profonde que l'on n'est pas quelqu'un d'aimable en soi et que l'on ne réussit jamais à se rassurer sur notre valeur réelle comme personne.

L'acquisition de compétence, d'un autre côté, prend des formes moins dramatiques; l'anxiété qu'elle crée est moins grande, le besoin d'agir n'est pas aussi compulsif. Tout n'est pas une question de vie ou de mort, l'exigence de réussite n'est pas aussi impitoyable et le temps est un allié plutôt qu'un ennemi.

L'estime de soi et la compétence ne sont pas des réalités hermétiques et indépendantes l'une de l'autre. Quand la base de l'estime de soi est suffisamment établie, l'acquisition et l'exercice des compétences contribuent à une meilleure estime de soi et augmentent ainsi la capacité de jouir de la vie. Lorsque l'estime de soi est déficiente, certains peuvent être tentés de développer des super-compétences, en espérant que les habiletés acquises et la reconnaissance par les autres leur donnera la garantie d'un sentiment de valeur personnelle; la désillusion est souvent brutale. Qu'il s'agisse d'estime de soi ou de compétence, tout est question de nuance et de degré; on en a plus ou moins, ça se construit petit à petit et ce n'est jamais complet ou parfait.

L'estime de soi, une question de relation

Comment alors peut-on travailler son estime de soi ? Il n'y a malheureusement pas de recette précise et infaillible. Pour répondre à cette question, il peut être utile de comprendre comment l'enfant, dans son développement psychologique, acquiert un sentiment de sécurité intérieure.

On pourrait dire de façon schématique que la sécurité intérieure se construit d'abord en deux étapes : la première est, pour l'enfant, la certitude que ses émotions et ses sentiments sont tous acceptables, que ses besoins ne sont pas démesurés et qu'il peut trouver chez les autres et, par extension, dans la vie en général, réponse à ses besoins. L'enfant acquiert cette confiance grâce aux soins relativement adéquats de sa mère qui répond à ses besoins physiques et affectifs. L'exercice répété des absences et des présences de la mère, dosant ainsi les frustrations et les gratifications, contribue également à consolider la sécurité intérieure de l'enfant. La deuxième étape se réalise lorsque l'enfant commence à se séparer de sa mère, à découvrir le monde et à développer sa personnalité propre. Ces acquisitions sont facilitées par la capacité de la mère à tolérer que son enfant s'éloigne d'elle et soit différent d'elle. Il peut alors devenir une personne à part entière n'ayant pas à répondre nécessairement à une image idéale qu'elle se fait de lui.

C'est donc d'abord à travers une relation que l'estime de soi se construit. Si pour une raison ou une autre cette acquisition est défaillante, il est possible de reprendre le processus à l'adolescence ou plus tard dans la vie, à travers d'autres relations intimes : relation amoureuse ou amicale, relation significative avec un professeur ou un « maître », relation plus symbolique dans une démarche artistique ou une relation avec un psychothérapeute.

63

Certains mythes sur la confiance en soi

Outre le fait de bien identifier son niveau de difficulté (compétence versus estime de soi) et de comprendre que l'estime de soi est avant tout une question de relation, il peut être utile de confronter certains mythes sur la confiance en soi.

Un des mythes les plus répandus est de croire qu'avoir confiance en soi veut dire ne jamais douter de soi, être infaillible et compétent dans tous les domaines. Que ce soit dans le domaine des relations interpersonnelles ou celui de la vie professionnelle, nous avons tous des forces ou des faiblesses, nous avons des compétences particulières, nous sommes plus à l'aise avec certains types de personnes; il y a des moments où nous nous sentons plus sûrs de nous-mêmes et d'autres où nous sommes plus vulnérables. La véritable force est peut-être davantage la conscience réaliste de ses faiblesses et la capacité d'en tenir compte.

Une autre idée, celle-là renforcée par les médias et toute notre culture occidentale, est que la compétence s'acquiert magiquement, facilement, que l'excellence est à la portée de tous. On peut avoir un talent particulier dans certains domaines ou une meilleure capacité d'apprendre, mais une compétence solide se construit à force d'essais et d'erreurs, de patience et de tolérance. Il est normal de ne pas avoir confiance en soi lorsqu'on n'a pas acquis les compétences nécessaires pour réaliser telle ou telle tâche. Habitués comme nous le sommes à l'instantané, nous avons oublié de compter sur l'effort soutenu dans le temps, nous avons perdu de vue l'importance du processus d'apprentissage au profit du résultat. Un succès modeste renforce notre confiance et nous stimule à entreprendre l'étape suivante. On ne va pas à bicyclette avant d'avoir appris à marcher.

Un corollaire du mythe précédent est la croyance, consciente ou non, que plus on se fixe des objectifs élevés, meilleures sont les chances de succès dans la vie. Au contraire, une anxiété trop grande à accomplir une activité ou encore un malaise constant dans une relation indique peut-être davantage que nous essayons à tort de répondre à une image beaucoup trop éloignée de nous, de nos goûts et de nos affinités personnelles.

64

Enfin, le mythe du gazon plus vert chez le voisin est bien connu de tous. Les timides idéalisent la confiance apparente des gens populaires ou éclatants; les « bûcheurs » envient ceux qui semblent réussir facilement; les extravertis envient la sagesse de ceux qui savent se taire et observer; les indépendants rêvent secrètement de s'abandonner aux autres, de s'approcher des autres alors que les personnes dépendantes survalorisent l'autonomie. Cette tendance à idéaliser les autres et à les envier est très néfaste. Bien qu'elle semble de prime abord un moteur puissant de motivation, elle devient à la longue notre pire ennemi et nous amène des sentiments pénibles d'amertume envers les autres et envers soi-même.

Ces mythes, on le constate, impliquent tous une notion d'absolu. C'est souvent d'ailleurs cet obstacle particulier qui nous empêche de progresser dans notre démarche vers une plus grande confiance en nous-mêmes.

PLUS DE TEMPS, MOINS DE STRESS ?

Marie-Andrée Linteau

Stress, stress, stress… le mot aux significations multiples, mêlé à toutes les sauces de notre vie contemporaine, associé tantôt au défi, tantôt à la maladie, ce mot s'est infiltré dans notre vocabulaire comme dans notre façon de vivre et, bien souvent, ce sont ses effets néfastes qui nous imposent sa présence.

La vie actuelle est stressante. En effet, la compétition très forte, le rythme de vie accéléré, les changements technologiques s'opérant à des vitesses monstrueuses, la précarité des ressources de la planète et les menaces conséquentes pour la santé physique exigent des êtres humains une capacité d'adaptation imposante. Mais chaque personne a sa propre façon de réagir aux événements extérieurs. Certaines ont l'air de traverser la vie avec aisance et facilité sans trop se préoccuper de l'avenir en profitant de l'expérience présente. D'autres, par contre, sont plus inquiètes, plus prudentes et un petit changement leur apparaît comme une montagne à escalader. On peut, dans une certaine mesure, élargir notre répertoire de réactions en travaillant sur nos attitudes. Mais là où nous avons le plus de pouvoir, c'est sur la reconnaissance de nos limites personnelles et sur l'organisation de notre vie en fonction de ces dernières. Beau principe mais pas si facile à appliquer.

Le stress est fonction de nos perceptions

Les recherches ont démontré que le stress était le résultat de l'interaction entre l'individu et les situations extérieures. On a pensé longtemps mesurer l'état de stress en examinant uniquement les événements extérieurs dits stressants, comme par exemple un divorce, un déménagement, la perte d'un conjoint, un bruit constant et même des vacances. Oui, car le stress ne provient pas que des événements néga-tifs; une expérience agréable longtemps désirée peut causer autant de stress qu'un événement difficile. On s'est aperçu par la suite que le stress n'est pas vécu par tous de la même façon et qu'il est avant tout fonction de la perception qu'on a de l'événement et de notre capacité à y faire face. Plus un événement est important pour nous (postuler un emploi, par exemple) et qu'il nous apparaît comme menaçant, impré-visible et incontrôlable, plus il sera stressant. La menace dans le cas d'un emploi pourrait être l'échec et, surtout, la perte d'estime de soi; l'imprévisibilité pourrait faire référence à l'incapacité d'anticiper le contenu des questions de l'interviewer ou les critères de sélection; et le contrôle, ce serait la capacité plus ou moins grande de se préparer adéquatement à l'entrevue ou d'avoir une influence sur les réactions des membres du comité de sélection.

Le stress est donc fonction de nos perceptions subjectives qui dépendent à leur tour de notre éducation, notre personnalité, nos valeurs, notre âge, nos conditions de vie, nos échecs ou succès antérieurs, etc. Ce qui est important à retenir c'est que la réaction de stress est individuelle et qu'il ne sert à rien de se comparer aux autres, surtout pour se dévaloriser la plupart du temps.

Important ou urgent ?

Une des façons de composer avec le stress est de gérer son temps. Là encore, combien de fois peut-on remarquer que certaines personnes ont toujours l'air débordées, alors que d'autres voguent au-dessus de leur affaire ! Les caractéristiques de la personnalité, les attitudes, une bonne connaissance de ses priorités et certaines façons de s'organiser expliquent cette différence.

Certaines personnes pensent, en s'inscrivant à un atelier de gestion du temps, qu'on leur donnera un truc magique pour continuer à faire tout ce qu'elles font, et même plus, sans ressentir de stress. Les agendas remplis à bloc reflètent cette folle croyance ! Il existe certains moyens techniques pour améliorer son rendement personnel, pour mieux utiliser ses ressources, mais la gestion du temps est avant tout une question de valeurs. Vouloir tout faire et tout bien faire relève du domaine de la prestidigitation. Et il faut pouvoir distinguer ce qui est urgent de ce qui est important. Dans nos vies, ce qui est urgent ou nous paraît tel à cause d'un manque de perspective, l'emporte toujours sur ce qui est important.

Enfin, il y a le temps réel et le temps psychologique. Une tâche qui nous pèse semble toujours exiger plus de temps qu'une tâche agréable. Il existe deux moyens pour déjouer une évaluation trop émotive : d'abord découper par tranches une tâche difficile et procéder par étapes; ensuite, ne pas attendre de disposer de tout le temps qu'une tâche pourrait exiger pour l'entreprendre, mais réaliser ce qu'on peut dans un temps donné, c'est-à-dire du temps dont on dispose. Les résultats sont parfois intéressants !

Quelle est votre priorité ?

Mais revenons aux priorités. Pour ce faire, il faut bien se connaître, c'est-à-dire avoir une idée assez juste de nos valeurs personnelles. Bien souvent il existe un écart entre la personne que nous voudrions être et celle que nous sommes vraiment et ce conflit vient parfois bousiller nos plus beaux efforts ! Par exemple, vous pouvez décider en début d'année que la priorité dans votre vie est votre relation de couple et vous vous apercevez au bout de quelques mois que vous n'avez presque pas vu votre ami(e) pendant le trimestre. Que s'est-il passé ? Vous étiez pourtant plein de bonne volonté et sincère. Si vos études ou votre travail ont pris tout le temps, c'est peut-être qu'effectivement ces activités sont plus importantes que votre vie de couple pour le moment.

Nous vous suggérons un exercice simple que vous pourrez utiliser à l'occasion pour refaire le point. Prenez quelques minutes pour réfléchir aux cinq secteurs suivants et classez-les par ordre d'importance pour vous actuellement :

1. Personnel (santé, détente, repas, etc., à l'exception du sommeil)
2. Familial (relations avec les parents, frères et sœurs et/ou conjoint et enfants)
3. Social (relations avec les amis, activités sociales)
4. Professionnel (études et/ou travail)
5. Matériel (travail rémunéré non relié au domaine d'études, ménage, achats, etc.)

Maintenant, accordez un pourcentage d'importance à chacun des cinq secteurs, pour un total de 100 %. Vous pourriez par exemple, inscrire :

- Personnel   20 %
- Familial   5 %
- Social   20 %
- Professionnel   50 %
- Matériel   5 %

D'ici un mois, donc à court terme, arrêtez-vous de nouveau et regardez combien de temps vous avez consacré à chacun de ces secteurs durant la dernière semaine. Vous pourrez même illustrer les résultats en découpant une tarte dont chaque pointe correspond au pourcentage de temps réel consacré à l'activité. La distribution de votre temps réel se lirait comme suit :

- Professionnel   75 %
- Familial   5 %
- Social   5 %
- Personnel   5 %
- Matériel   10 %

Les études et le travail ont grugé beaucoup plus de temps que vous ne l'aviez prévu au détriment de votre vie personnelle et sociale. Vous pourriez vous demander si votre temps réel correspond à ce que vous désirez faire. Il se peut que la réponse soit positive : vous êtes dans ce cas en accord avec vos propres valeurs même si vous risquez à ce rythme-là de vous brûler assez rapidement. Sinon, vous pouvez réaliser qu'au fil des jours vous vous êtes perdu de vue et vous pourriez essayer de vous remettre en accord avec vos propres valeurs et priorités. Le même exercice peut être complété pour les objectifs à moyen et à long terme.

Lectures suggérées

Binette, André et Boucher, Francine. *Bien vivre le stress*, SOCP/Éditions de Mortagne, 1981.

Servan-Schreiber, Jean-Louis. *L'art du temps*, Éditions Fayard, 1983.

LA PRISON PARFAITE

Marie-Andrée Linteau, psychologue

« Performance, excellence, perfection » font partie intégrante de notre vocabulaire courant au point qu'on ne s'aperçoit pas des effets insidieux qu'ils peuvent provoquer dans notre vie personnelle, sociale et culturelle.

À la veille de ce nouveau millénaire marqué par la compétition internationale, par la course aux armements et par les immenses défis écologiques, la quête de l'excellence est difficilement contestable. Peut-on être contre la vertu ? Mais pourtant, cette même quête mène de nombreux individus à vivre dans une prison intérieure épouvantable, celle du perfectionnisme.

Ce n'est pas tant le désir de bien accomplir une tâche jusque dans ses moindres détails dont nous parlons ici mais plutôt d'une recherche effrénée et impitoyable de la perfection, qui mène à des difficultés psychologiques importantes dont se plaignent couramment les clients dans nos bureaux.

Êtes-vous des obsédés de la perfection ?

Les obsédés de la perfection doutent constamment d'eux-mêmes sentant qu'ils sont toujours en deçà des standards d'excellence qu'ils se fixent. S'ils travaillent très fort pour atteindre leur but, ils se disent que leur succès tient uniquement à l'effort énorme qu'ils ont fourni et que, sinon, ils sont fondamentalement médiocres. S'ils réussissent plus facilement grâce à leur talent, leur intuition et leur créativité, ils ont alors le sentiment d'être des imposteurs qui risquent à tout moment d'être démasqués par des observateurs clairvoyants.

Ils arrivent parfois à se sentir bons et compétents mais ce sentiment a quelque chose d'euphorique, de grandiose qui tôt ou tard basculera vers la déprime.

Le mode de pensée du tout ou rien est typique des « obsédés de la perfection ». En effet, pour eux, le monde se divise en deux : les bons et les méchants, le parfait et l'imparfait, le succès et l'échec, l'extraordinaire et le médiocre. Tout est blanc ou noir, le gris n'existe pas vraiment, et la tendance à généraliser est extrêmement forte (ex. : « Si je triche dans mon régime en prenant une cuillerée de crème glacée, autant manger tout le pot ! »).

Les perfectionnistes ont tendance à s'isoler quand ils sont aux prises avec un sentiment de « culpabilité » à ne pas réussir comme ils le désirent. Ils ne veulent pas être vus dans leur imperfection. Ils sont extrêmement sensibles à la critique et éprouvent une grande difficulté à s'engager dans des relations intimes. Si l'autre personne s'approche trop, elle risquerait peut-être de voir ce qu'il y a au fond d'eux : leur colère, leur mépris, leur envie et, surtout, leur grande solitude.

La tendance à idéaliser les autres constitue un autre trait marquant des perfectionnistes. Lorsque tôt ou tard la personne idéalisée les déçoit, ils la mettent de côté en se disant qu'ils ont été bien bêtes de tant idéaliser cette personne. Ils recommencent alors le même scénario avec quelqu'un d'autre, espérant que, cette fois-ci, l'autre personne pourra enfin leur « donner » ce qui leur manque.

Le prix psychologique à payer

La vie n'est pas facile pour les perfectionnistes. À cause de leur grande intolérance à ce qui est moyen, ils ont tendance à abandonner plus facilement leurs études ou leurs projets. Vous connaissez sûrement des premiers de classe de secondaire et de cégep qui ont lâché l'université parce qu'ils ne pouvaient pas supporter d'être dans la « grosse moyenne ».

Outre le fait que le perfectionnisme conduit souvent à l'échec, le prix psychologique à performer est souvent très élevé. Ayant appris généralement très jeune à répondre aux attentes des parents ou de la famille, ils ne savent pas vraiment qui ils sont, ce qu'ils aiment, ce qui leur apporte du plaisir. Ils se sentent vides, tristes, épuisés, seuls, constamment insatisfaits, envieux du succès des autres, « coupables » de ne pas répondre à ce qui est devenu leur propre exigence. Toute la vie devient une performance à réaliser et le plaisir y est absent. Comme le disait une étudiante : « Mon seul plaisir, c'est celui de réussir ».

Sortir du cercle vicieux

Patrick Watson dans la série télévisée *Démocraties* disait : « S'il n'y a pas de description de sa situation, il y a possibilité de la changer » en parlant de l'origine des révolutions sociales. Il en est de même pour le changement individuel. La capacité de reconnaître et de nommer sa difficulté est un premier pas vers un mieux-être. Si l'on arrive à constater les effets extrêmement négatifs de l'attitude perfectionniste dans nos vies, on pourra commencer à être plus tolérant face à nos imperfections et plus critique face aux valeurs véhiculées dans la société.

Il faut également questionner le message familial, le rôle auquel nos parents, peut-être bien inconsciemment, nous ont confinés : celui de réaliser leurs propres rêves, de faire mieux qu'eux, de ne pas vivre les mêmes souffrances. En faisant le deuil des aspirations familiales, on peut alors faire de la place pour notre vie à nous, nos plaisirs, nos satisfactions, nos défis propres, notre créativité.

Il faudra peut-être réapprendre à être en relation avec les autres. Dans une société d'excellence, il est facile d'en arriver à utiliser les autres comme des objets, comme des moyens pour parvenir à ses fins. On passe alors à côté d'un grand plaisir, celui d'être en contact réel avec les autres, celui de partager nos joies et nos misères, et de collaborer à des projets communs.

L'humour peut aussi nous permettre de rire de notre folie collective et ainsi relever un grand défi, celui d'être simplement humain.

Référence

Burns, D. D. « Les obsédés de la perfection se vouent-ils à l'échec ? », dans *Psychologie,* n° 133 (février 1981), p. 49-55.

Lectures proposées

Miller, Alice. *Le drame de l'enfant doué*, Paris, Presses Universitaires de France, 1983.

Lowen, Alexander. *Gagner à en mourir. Une civilisation narcissique*, Paris, Hommes & Groupes éditeurs, 1987.

LA PROCRASTINATION
OU
LA FOLIE DE LA DERNIÈRE MINUTE

Marie-Andrée Linteau

Vous avez l'habitude d'attendre à la dernière minute pour préparer vos examens de fin de session ? Vous souffrez du syndrome de la gastro : « Excusez patron, je n'ai pas pu faire mon travail la semaine dernière, j'ai eu une très mauvaise gastro, vous savez, celle qui court ces temps-ci. » Vous êtes du genre à acheter vos cadeaux de Noël entre 3 h et 6 h le 24 décembre. Votre copain vous attend pour aller souper avec des amis et plus il se plaint, plus vous prenez votre temps. Vous avez toujours un petit 5 à 8 minutes de retard à toutes vos réunions d'équipe. Vous préférez, croyez-le ou non, faire le ménage de l'appartement au complet ou même appeler votre belle-mère plutôt que de commencer à écrire votre travail dirigé; vous avez la frousse que les gens s'aperçoivent que vous n'êtes qu'un imposteur : s'ils savaient l'enfer que vous vivez à chaque examen ou avant chaque rencontre sociale.

Alors, il y a de bonnes chances que vous soyez aux prises avec un problème de *procrastination*. Je sais, je sais, ce n'est pas un très joli mot mais il existe bel et bien dans le *Petit Robert* : « tendance à tout remettre au lendemain ».

Mais qui ne le fait pas à un moment ou à un autre dans sa vie ? Est-ce nécessairement un problème ? Quand la procrastination est une façon de se donner du temps pour réfléchir, pour prendre une distance critique, qu'elle ne touche qu'un secteur de votre vie (ex. : la vie sociale), quand elle est une alliée pour évaluer et choisir les demandes qui vous sont adressées, alors considérons la procrastination comme un mécanisme d'adaptation très utile. Si, au contraire, les conséquences de vos délais sont dramatiques (ex. : perdre un emploi, échouer son bac), que la culpabilité et le remords vous envahissent, si chaque fois votre confiance en vous s'enfonce, alors oui, la procrastination est vraiment un problème.

La procrastination, ce n'est ni de la paresse, ni de la mauvaise volonté. C'est une façon, subtile parfois, de se protéger de peurs intenses et d'éviter de faire face à des problèmes personnels. Cet article examinera certaines de ces peurs et tentera d'explorer les sources de ce mécanisme d'adaptation, à partir des messages que la famille nous a transmis.

1. LES PEURS

Ce serait terrible d'échouer, je ne survivrais pas !

La peur d'échouer est souvent à la base d'une attitude de procrastination. En effet, derrière la procrastination se profile la conviction que si l'on n'est pas parfait, exceptionnel ou superperformant, on ne vaut rien. Le succès est alors impératif pour protéger une estime de soi très fragile. La procrastination nous réconforte dans notre croyance que notre potentiel est bien plus grand que ne l'est notre performance. Par exemple, quand nous attendons à la dernière minute pour préparer un examen et que nous obtenons une note moyenne, nous pouvons nous dire : « Ah si j'avais vraiment bien préparé cet examen, j'aurais eu un A »; si d'un autre côté, on décroche un A, il n'y a qu'un pas à franchir pour se dire : « Oh la la ! imaginez donc quel genre de travail j'aurais fait si je m'y étais pris à temps ! »

Nous sommes dans l'univers du perfectionnisme où il n'y a pas de demi-mesure et où l'excellence doit être acquise supposément sans effort; un monde où règne une menace constante de ne pas être à la hauteur, d'être médiocre, où se profile le spectre terrifiant de la honte et du mépris des autres; un monde où demander de l'aide est l'aveu de notre faiblesse, la preuve d'un défaut fondamental. Le malheur dans tout cela est qu'on en est venu à croire que si l'on n'atteint pas une performance, on ne sera pas aimé; et ici le mot performance peut prendre différents sens : exceller intellectuellement, séduire à tout prix, faire constamment rire les autres, relever des défis impossibles. C'est le rôle que l'on a probablement adopté dans notre famille pour obtenir l'amour et l'attention de parents toujours insatisfaits, peu sûrs d'eux malgré les apparences ou parfois déprimés. Vous savez ces parents qui vous disent implicitement ou de façon toute avouée : « Ah ! 90 %... c'est pas mal, mais je sais que tu pourrais faire mieux. »

Alors on en vient à évaluer sa valeur personnelle uniquement en fonction de ce que l'on fait car autrement on pourrait craindre d'être décevant, laid, méchant, ennuyant ou trop ordinaire.

Le désir d'être parfait peut se déguiser également sous la forme d'une absence évidente de tout esprit de compétition; on peut choisir de ne pas être dans la course pour se protéger, encore une fois, d'une défaite possible. Performance et contre-performance sont cousins germains !

Tu ne me contrôleras pas !

Parfois, procrastiner est une façon de dire à quelqu'un d'autre que nous sommes plus forts que lui, qu'il ne nous dominera pas (prof, copine, patron). Mais derrière ces personnes réelles se dessine l'ombre, souvent inconsciente, d'une mère contrôlante, intrusive, d'un père rigide, de parents qui se sont mis en tête de faire de nous leur fierté. Sans le savoir, bien souvent, nous projetons sur le conjoint ou le supérieur ces dictateurs ou tortionnaires intérieurs. Alors s'établit une lutte de pouvoir, un jeu de force. La procrastination devient une arme privilégiée pour affirmer notre autonomie face à une telle autorité, tout en évitant de s'opposer directement et de faire face à la perspective d'être « battu ». Plus nous avons souffert d'abus, plus nous nous sommes senti impuissants et humiliés, plus nous avons dû plier l'échine, plus la procrastination sera généralisée. Il faut alors gagner toutes les batailles, ne jamais concilier quoi que ce soit.

C'est un univers de lutte contre la toute-puissance imaginée de l'autre, c'est la ruse constante pour ne jamais montrer aucune faiblesse. C'est un univers de défense contre un monde extérieur « dangereux », contre nos propres besoins de dépendance, où la coopération est vue comme une capitulation, où la force de l'autre fait nécessairement notre faiblesse, bref, où s'opposer à l'autre est plus important que faire ce que l'on désire. Mais il y a là un paradoxe : afin d'éviter à tout prix que l'autre ait le pouvoir sur nous, nous lui conférons, en fait, un immense pouvoir en y réagissant constamment. L'enjeu, dans cette lutte, c'est notre propre autonomie, notre façon de dire : « j'existe pour ce que je suis ! »

Même si à l'intérieur d'eux-mêmes la bataille est virulente, la plupart du temps, dans la réalité, les procrastinateurs sont charmants, d'allure collaboratrice et parfois même soumis. Mais... ils sont souvent en retard, oublient d'apporter leur partie du travail à leur réunion d'équipe ou n'ont pas le temps d'acheter le cadeau pour le souper anniversaire de leur chum. Mais comment se fâcher contre eux, puisqu'ils se sont donnés toute cette peine pour venir quand même et puisqu'ils sont si désolés de leur erreur. Ouf !

J'ai peur de faire ma vie ou j'ai peur de m'attacher !

Ces deux peurs, contradictoires en apparence, parlent toutes les deux d'une recherche de la bonne distance à établir avec les autres.

Pour ceux qui craignent l'éloignement, la perspective de se retrouver seul est terrifiante. La procrastination peut être une façon de ne jamais se séparer, de ne jamais faire leur vie, de ne jamais réaliser leurs propres ambitions. Ils n'en finissent pas d'étudier, de se préparer à la vie, de chercher des conseils pour prendre leurs décisions; ils semblent toujours se retrouver dans le trouble, dans l'espoir d'être sauvés; ils se mettent au service des autres et évitent ainsi de se définir comme personne singulière; ils croient souvent qu'ils ne méritent pas de réussir et que leur succès fera nécessairement le malheur des autres.

Pour ceux qui ont de la difficulté à s'attacher, la procrastination est un moyen privilégié d'éviter de s'engager dans un projet, de s'approcher intimement de quelqu'un d'autre : ils craignent d'être envahis, drainés par les demandes des autres ou encore de découvrir, à leur propre étonnement, leur immense besoin de dépendance et de soutien moral.

2. COMMENT DEVIENT-ON PROCRASTINATEUR ?

Il n'y a malheureusement pas de réponse univoque à cette question complexe. Nous avons vu précédemment que ce qui était souvent en jeu dans la procrastination, c'était un besoin d'être parfait, idéal, une lutte plus ou moins féroce pour affirmer son identité ou son autonomie, une crainte de se séparer de l'autre, de faire sa vie ou, au contraire, une défense contre ses propres besoins de dépendance.

Notre famille, notre éducation, notre histoire de relations intimes, notre fratrie ont une influence considérable sur ce que nous devenons. Nous sommes tous marqués profondément par les liens familiaux, nous sommes le fruit de générations passées, d'attentes et de rêves brisés. Chaque famille a ses lois explicites, son cadre de fonctionnement, chacune a aussi ses règles implicites, son agenda secret, son inconscient.

On peut se demander alors qu'est-ce qui a bien pu se passer dans certaines familles pour que la quête de la perfection, la lutte acharnée pour défendre son identité et affirmer son autonomie, la peur panique de s'approcher ou de s'éloigner ne devienne le leitmotiv de toute une vie, d'une manœuvre défensive « blindée ».

Vous pourrez m'objecter que ces enjeux sont communs à tous les humains, que nous avons tous en notre for intérieur le désir secret d'être parfaits, uniques, spéciaux, nous avons tous dans notre vie à définir notre identité, à nous séparer psychologiquement de nos parents et à composer avec nos besoins de dépendance.

Oui, mais pour les procrastinateurs « invétérés », la tâche est plus compliquée. Ils ont compris très tôt dans leur vie qu'il n'y avait pas de place dans l'esprit de leurs parents pour exister en étant différents d'eux. Les parents, à cause de leur propre histoire, ont pu voir en leurs enfants l'occasion de réparer une image dévalorisée d'eux-mêmes et ainsi demander à leur enfant, le plus souvent inconsciemment, de faire ce qu'ils auraient toujours souhaité pour eux-mêmes. Ou au contraire, on peut imaginer des parents qui ont réussi dans la vie à force de volonté et de travail acharné et qui n'acceptent pas que leurs enfants, pourtant plus avantagés qu'eux au point de départ, les mettent en échec et ainsi les obligent possiblement à sentir leur propre manque affectif masqué par une réussite éclatante.

Des enfants humiliés devenus parents peuvent avoir une attitude ambivalente face au succès de leur progéniture : d'un côté être très fiers d'eux et de l'autre, les envier et possiblement les dénigrer pour leur succès. Le message devient : « Il faut que tu réussisses mais pas trop car je pourrais t'en vouloir. »

Plus l'attitude des parents (ou de ceux qui font office de parents) a été perçue par l'enfant comme contrôlante, inflexible et toute-puissante, plus il a vécu d'humiliation face à ses mouvements spontanés, plus la lutte pour son autonomie sera féroce et envahissante.

Que l'enfant réussisse ou échoue à combler les attentes des parents, le problème est le même : il n'y a de place que pour le désir des parents. La procrastination devient l'un des moyens alors de signifier au parent intérieur (car le plus souvent, ce n'est pas avec le parent réel qu'on se bat mais avec le parent de notre petite enfance) que l'on existe en dehors de lui, que nous ne sommes pas sa chose. On se retrouve alors devant des phénomènes comme un étudiant qui a bien performé pendant toutes ses études et qui, à la fin de la maîtrise ou du doctorat, échoue son dernier examen. Quelle mouche peut bien l'avoir piqué ? Ou encore, on rencontre des gens qui ont beaucoup de potentiel et qui pourtant vont d'échec en échec ne fournissant pas leur plein effort; à leur insu, ils sont peut-être en train de contester les visées de leurs parents et évitent également de s'exposer à une évaluation critique des supérieurs et des collègues. Quel paradoxe !

Lorsque l'on parvient à identifier les messages parentaux, à comprendre les conflits des générations qui nous ont précédés, nous pouvons valider nos perceptions et sensations parfois confuses, nommer les doubles contraintes auxquelles on a été soumis, regagner ainsi du pouvoir sur notre vie et relativiser notre part de responsabilité dans les attentes et comportements de nos parents à notre égard.

On porte en nous, et très profondément, les attitudes de nos parents et, parfois, pour garder avec eux un lien très étroit (qu'ils soient décédés ou vivants), on continue à agir comme on l'a toujours fait, malgré un sincère désir de changement. Se séparer de nos parents est la tâche d'une vie. La procrastination nous sert alors à leur rester fidèles tout en essayant de sauvegarder notre identité. Peut-être faut-il arriver à faire le deuil de nos parents et accepter d'être comme nous sommes, le sujet de notre propre existence avec nos qualités et nos défauts. Et... comme disait Watzlawick : « La maturité, c'est de faire ce que l'on veut même si nos parents nous ont dit de le faire. »

Lecture suggérée

Burka, J. B. et Yuen, L. M. *Procrastination,* Addison-Wesley, 1983.

COMMENT TRAVAILLER EN ÉQUIPE SANS PERDRE SES AMIS ?

Jean Desmarais et Hélène Trifiro

Le travail en équipe est un moyen souvent utilisé par les professeurs pour stimuler ou motiver les étudiants et, on le remarque de plus en plus sur le marché du travail, dans plusieurs types de professions. Les avantages en sont nombreux si on pense à la stimulation, à la profusion et à la confrontation d'idées, à l'enrichissement intellectuel et à la rapidité d'exécution d'un travail. C'est aussi une façon de rencontrer et de mieux connaître les gens. Pour y arriver, il faut savoir comment s'y prendre et c'est là la difficulté de la plupart des équipes de travail. Car cela peut aussi devenir d'un ennui accablant, frustrant et très démotivant. Nous avons probablement tous connu des expériences de ce genre et on en garde des souvenirs très désagréables. Malheureusement, on ne nous a jamais appris à travailler en équipe. Parfois, le travail d'équipe ou le thème nous sont imposés, parfois on ne peut choisir nos partenaires (par exemple, lorsqu'on arrive à l'université et qu'on ne connaît personne) et même quand on peut choisir nos partenaires (surtout nos amis !), cela n'est pas une garantie de succès.

Dans cet article, nous mettrons en lumière deux dimensions qui ont une influence significative sur le déroulement du travail en équipe : la définition d'une cible commune, incluant l'organisation du travail, et les relations entre les membres de l'équipe.

Le principe du tous pour un

La cible commune est ce qui doit justifier ce pourquoi des individus vont travailler ensemble, c'est-à-dire le but commun à cette équipe. À première vue, ce facteur peut sembler simpliste et évident. Quatre individus déménageant un bureau lourd font un travail d'équipe. On ne s'éternisera pas à discuter sur la perception de leur cible commune; ici elle est évidente. Il en est autrement pour un travail sur la pollution des grandes métropoles. Pour que l'équipe ait une cible commune, il faudra consacrer du temps à définir l'objectif qu'on poursuit dans ce travail : comment chacun voit et perçoit le sujet. Déjà, il y aura probablement différentes perceptions du travail (exemple : la pollution vue sous l'angle de la responsabilité des citoyens, la pollution comme conséquence à notre développement technologique, etc.). Il faudra donc faire consensus sur le même thème ou envisager de quitter l'équipe si on ne veut pas travailler selon cette orientation. La cible commune visée par l'équipe doit aussi correspondre à la cible individuelle de chaque participant.

Quatre grandes questions à se poser

Après s'être entendus sur une cible commune, on doit organiser le travail en tant que tel pour en arriver à un produit d'équipe. Ce sont les balises qui vont organiser le travail et lui donner un cadre cohérent. Il y a quatre questions à se poser : le *quoi*, les résultats qu'on veut atteindre, les critères de succès, les hypothèses qu'on veut vérifier; le *comment* on va y arriver, en faisant une revue de la documentation, une enquête, un sondage auprès de la population, en interrogeant des experts sur cette question; le *quand* faut-il produire, les dates d'échéance, les moments opportuns pour agencer la production des différentes parties du travail. Mais en équipe, le plus difficile dans l'organisation du travail est de répondre à la question fondamentale : *qui fait quoi* ? Le quoi est habituellement plus simple que le qui. Dans ce cas, le plus important est de se demander s'il est plus pertinent qu'une personne ou l'équipe fasse telle partie du travail. Nos quatre déménageurs n'iront pas tous ensemble chercher la chaise accompagnant le bureau. C'est évidemment peu pertinent et c'est une perte de temps. Dans un travail plus intellectuel, on part souvent avec l'idée qu'il faut tout faire en équipe alors qu'il est peu efficace, même pas du tout, de rédiger le texte en équipe. On peut par contre le fragmenter en différentes parties et répartir le travail : faire un premier jet qu'un autre complète, corriger des informations ou la structure des phrases, etc. Il faut trouver des moyens où chacun pourra apporter sa contribution et le faire selon ses forces.

Mais pourquoi est-ce souvent si difficile de travailler en équipe ? Même si l'organisation du travail est cohérente, il faut tenir compte des relations entre les individus, lesquelles détermineront la qualité des résultats de l'équipe et la satisfaction des participants.

Pour des relations pacifiques

Travailler en équipe, c'est accepter les opinions, points de vue et raisonnements des autres et c'est accepter de remettre les nôtres en question. C'est partager les tâches concrètes mais aussi le contrôle du travail comme, par exemple, on dépend de la contribution de l'autre pour réaliser telle partie du travail. Si on est habitué à travailler seul, c'est une tâche parfois difficile. Travailler en groupe, c'est faire confiance à nos coéquipiers. La qualité des relations permettra d'influencer ou non et de faire confiance ou non. Si les relations sont ouvertes et franches, il sera plus facile de remettre en question telle partie du travail ou telle affirmation d'un membre sans tout « foutre en l'air ». C'est lorsqu'on travaille en équipe qu'on nous remet en face nos traits de caractère (habituellement ceux qu'on aime le moins !), nos attitudes et nos façons de faire (habituellement celles que les autres aiment le moins !). Ça peut être très confrontant. Presque tous les problèmes que rencontre un groupe se situent en définitive au niveau socio-émotif.

On pense souvent que le leadership ne devrait pas exister dans une équipe. Nous pensons au contraire qu'il doit exister mais qu'il doit être partagé selon les tâches à faire. Le leadership représente la capacité d'influencer l'autre et, qu'on le veuille ou non, il y en a en tout temps dans une équipe. Encore ici, ça peut se faire positivement si la façon est franche et si chacun reconnaît l'apport particulier d'un participant pour telle partie du travail. Il ne s'agit pas d'imposer son point de vue – ce serait du leadership imposé – mais bien de reconnaître la compétence d'un participant sur tel sujet. Ainsi la participation des coéquipiers peut varier d'une étape à l'autre du travail.

Pour favoriser de bonnes relations de travail, il est important que chaque participant puisse s'exprimer à la fois sur le contenu du travail (ce qu'on fait ensemble) et sur le contenant (les individus !). Si les personnes se connaissent bien, l'échange peut se faire spontanément. Sinon, il est préférable de nommer, au sein de l'équipe même, un animateur qui se chargera de vérifier les problèmes potentiels : frustrations, compétition, rôles implicites et explicites, partage des tâches, mésentente entre les participants. Il ne s'agit pas ici de prendre tout le temps à travailler les relations. Là n'est pas l'objectif d'une équipe de tâche spécifique. Rappelez-vous seulement vos travaux d'équipe précédents et pensez à ce qui n'a pas fonctionné. Pourquoi en êtes-vous sorti déçu, fâché ou frustré ? Ce sont peut-être les incidents entre les participants qui ont fait que vous vous êtes moins impliqué (ou tout simplement résigné !).

Un travail en soi

Dans le travail en équipe, il faut éviter de penser que « ça se fera tout seul » et que les gens s'engageront d'emblée dans la poursuite de la cible et dans la répartition des tâches. Ça prend plus que des bonnes intentions. On doit accepter que le produit final sera probablement différent de notre idée de départ car il y aura inévitablement des compromis et des consensus à faire. C'est une façon de travailler qui demande beaucoup de souplesse et qui peut être plus exigeante que de travailler seul. Les conflits, à peu près inévitables dans toute équipe, peuvent contribuer à faire progresser l'équipe s'ils sont bien gérés. Le travail en équipe peut donc être stimulant et enrichissant si on prend le temps de s'en donner les conditions.

Référence

Saint-Arnaud, Yves. *Les petits groupes : participation et communication,* Presses de l'Université de Montréal/Les Éditions du CIM, 1978.

LES CHOIX DE CARRIÈRE PIÉGÉS

Ninon Chénier

Connaissez-vous une personne qui, comme Joëlle, a vécu dans une famille perturbée où la violence tant verbale que physique était omniprésente ? Régulièrement, Joëlle se faisait dire qu'elle n'était pas intelligente, qu'elle était stupide ! Blessée et perdue dans son désarroi, il lui devint impératif de prouver son intelligence à ses parents. De toutes les professions qu'elle connaissait, les avocats semblaient faire partie de cette catégorie de personnes dites intelligentes. Ils parlaient avec éloquence, ils maniaient les mots avec une telle facilité. Étudier le droit, réussir cette carrière devint la stratégie qui lui permettrait enfin d'être reconnue dans son intelligence et ainsi se sentir plus près de ses parents.

Ou peut-être avez-vous déjà rencontré quelqu'un comme Pascal qui faisait partie d'une famille née pour un petit pain ! Des parents peu scolarisés, des emplois peu rémunérés, un mot d'ordre : s'accommoder pour protéger le petit peu qu'on possède. Ainsi la famille se serrait les coudes pour sauvegarder leur petite vie tranquille. Au fil des ans et des expériences, Pascal construisit un rêve : bâtir une carrière pour se sortir de ce scénario familial, gagner un salaire intéressant et obtenir une reconnaissance sociale. Les études universitaires devinrent donc une garantie de réussite. Après l'euphorie de l'entrée à l'université en éducation physique, les examens et les travaux se transformèrent rapidement en cauchemar. Chaque note qui baissait augmentait l'anxiété, perturbait la concentration et rapidement, la motivation chuta sans qu'il fasse le lien entre son choix de carrière, ses angoisses et ses expériences passées.

Ces deux exemples mettent l'accent sur l'importance de la famille comme facteur principal d'influence dans les choix professionnels et sur la subtilité de cette influence dans le développement de la personnalité. Soulignons au départ que même si certains choix servent à guérir des blessures de l'enfance, ils ne sont pas nécessairement inadéquats. Exercer une profession qui nous passionne, même si elle compense des manques, permet souvent de trouver un équilibre.

L'impact de la famille sur le choix de carrière

C'est au contact de nos parents d'abord, et des membres de notre famille, que nous apprenons à nous connaître. Cette connaissance de soi réfère à l'aspect affectif qui détermine la confiance en soi et l'estime de soi. Elle concerne aussi l'aspect cognitif relié à notre façon de décoder le monde, à nos croyances et valeurs ainsi qu'à notre façon de solutionner nos problèmes. Quant à nos comportements et attitudes, ils sont souvent modelés sur ceux de nos parents ou construits en réaction aux comportements parentaux.

C'est donc dire que la base de notre identité personnelle et professionnelle se forme à travers les échanges affectifs, cognitifs et comportementaux avec les membres de notre famille.

Par la suite, cette base se complexifie, se colore sous l'influence des expériences scolaires ainsi que sous l'influence des amis et de la société à travers les messages véhiculés par les médias (télévision, journaux, cinéma, radio, publicité).

La perception de soi sera positive et réaliste pour autant que les personnes représentant des figures d'autorité dans l'environnement familial nous communiquent un message valorisant, encadrant et clair de nos caractéristiques et talents.

À l'opposé, la répétition de messages blessants, jugeants, ou simplement l'absence de messages, crée un état de survie où la construction de l'image de soi risque d'être biaisée. Survivre implique se détacher de notre identité profonde pour créer un personnage apte à répondre aux attentes et exigences parentales et donc trouver des moyens pour compenser des carences affectives ou des blessures à l'estime de soi.

Que découvrirait-on si l'on s'interrogeait sur ce qui nous pousse à vouloir à tout prix aider des gens, acquérir du pouvoir, de la popularité, convaincre sans merci, soigner, conseiller, dénoncer, etc. ? On pourrait supposer qu'à force de vivre de l'impuissance, de la frustration, de la déception, de la colère ou de la négligence, on tente inconsciemment de trouver une profession où enfin la nourriture tant attendue sera disponible (reconnaissance, attention, droit de réussir, liberté de choisir, etc.).

Ces types de scénario créent une perception idéalisée de la carrière où la souffrance semble enfin maîtrisée. Malheureusement, cette perception ne tient pas compte de nos capacités réelles, de nos limites et aussi des exigences et contraintes du cheminement scolaire et professionnel relié à la carrière choisie.

Combien de finissants, diplôme en main, ont perdu leurs illusions en constatant que la réussite ne crée pas instantanément la confiance en soi infaillible... Combien de finissants voient l'euphorie de la réussite s'estomper rapidement face à leurs angoisses profession-nelles... Combien de professionnels s'épuisent au travail comme s'il fallait encore satisfaire une exigence subtile et surtout non identifiée...

Autrement dit !

Combler une carence affective par un choix professionnel, c'est comme s'asseoir sur une chaise sans siège. Cela requiert une somme d'énergie incroyable pour se maintenir en équilibre... avant la chute ! Choisir une carrière en réaction à un manque de stimulation dans un climat familial éteint et résigné, c'est risquer la panne sèche par pénurie d'essence ! Choisir une profession uniquement par « respect » des valeurs familiales transmises de génération en génération sans tenir compte de ses intérêts, c'est comme porter un vêtement trop grand sous prétexte qu'il a appartenu au grand-père, puis au père et maintenant à la fille ou au fils...

Quelques manifestations d'un choix de carrière piégé

Lorsqu'un choix de carrière est piégé, des symptômes tant physiques que cognitifs se manifestent : surinvestissement dans les études ou le travail, sommeil perturbé, baisse de l'appétit ou recrudescence de l'appétit, procrastination, difficulté de concentration et de mémoire, doute sur le choix professionnel.

Parfois, le stress démesuré face aux examens, à l'étude et aux travaux scolaires peut être un indicateur d'un choix de carrière à réviser. Les échecs à répétition, la perte de motivation, le découragement sont aussi des invitations à explorer le sens de ces phénomènes dans la vie d'un étudiant.

Un autre indicateur : l'angoisse reliée aux stages. Parfois, la ténacité et la négociation avec les professeurs permettent de se rendre à l'expérience des stages en milieu professionnel. La présence d'une grande anxiété peut être le signe d'un choix de carrière inadéquat. Il serait important aussi de mentionner parmi ces indicateurs : l'incapacité à faire face à une évaluation négative sans remettre toute sa valeur personnelle en question.

Tous ces indicateurs ne sont pas automatiquement reliés à un choix de carrière piégé, mais il serait important de se rappeler que la différence réside dans leur démesure et dans leur intensité.

Trouver l'équilibre

Quel pessimisme, direz-vous ? Veut-on vous effrayer ? Tous les choix professionnels sont-ils alors piégés ? Rassurez-vous, la réponse est non et je m'explique ! Bien sûr, chaque décision que nous prenons a pour but de maintenir ou de créer un équilibre personnel. Il peut donc arriver qu'un choix de carrière basé sur une carence affective soit très positif. Un choix de carrière a toujours un sens dans la vie d'une personne, il fait partie d'un équilibre même si ce dernier est parfois précaire. Il permet aussi d'acquérir des connaissances et des habiletés qui feront partie du bagage personnel. Bagage qui pourra être réutilisé différemment dans d'autres domaines de la vie ou possiblement dans un nouveau projet professionnel.

Aussi, un choix de carrière comme palliatif à la souffrance peut permettre à une personne de reconstruire des bases plus solides si elle accepte de questionner ses inconforts, ses angoisses et ses insatisfactions dans son cheminement scolaire et professionnel. Ce questionnement favorise la compréhension de son scénario de survie; il permet aussi de faire certains deuils reliés à des besoins non comblés. Enfin, il devient une excellente occasion de transformer un manque affectif de façon créative. C'est en se réappropriant ses choix en fonction de ce que l'on est plutôt qu'en fonction d'une carence ou des attentes parentales que l'on se dirige vers un succès fièrement ressenti et générateur d'énergie. C'est un peu comme réajuster un vêtement qui était trop grand ou trop petit !

LA MÉCHANTE COLÈRE

EN VIE ET EN COLÈRE

Anouk Beaudin

Plusieurs entretiennent l'idée que l'agressivité est une émotion négative, laide et destructrice. Pourtant, l'agressivité fait partie des émotions humaines fondamentales. Elle est une réponse émotionnelle normale et naturelle à toute forme d'agression, d'abus comme l'humiliation et le non-respect de ses limites, de son intimité et de ses émotions. Cette puissante réponse affective se traduit par différents comportements tels qu'exprimer verbalement sa colère, confronter, refuser, s'opposer et demander. Mais pourquoi est-ce si souvent difficile de reconnaître et d'exprimer notre agressivité ?

Notre éducation, et plus largement notre culture, valorise les individus gentils et dociles et tend à réprimer toute forme d'agressivité. Une saine colère exprimée à travers des comportements tout à fait normaux est facilement découragée, voire condamnée. À travers cette aseptisation du comportement qui débute dans l'enfance, l'individu se trouve privé d'une partie de lui-même. Une observation attentive permet de constater combien il peut être difficile et menaçant pour beaucoup d'exprimer et parfois même de ressentir de l'agressivité.

La répression dès l'enfance

À l'origine d'une forte inhibition de l'agressivité, il y a toujours une éducation qui ne tolère pas et réprime l'expression de la colère. Certains parents, bien qu'ils éprouvent une véritable affection pour leur enfant, n'acceptent pas que celui-ci s'oppose, réplique; ils ne tolèrent pas les cris et les pleurs. La répression peut prendre la forme de reproches culpabilisants (« tu ne dois pas te fâcher »), de coups, d'humiliations ou de menaces très graves (« tu vas me faire mourir si tu continues à être aussi méchant »). Les réactions de non-acceptation sont parfois beaucoup plus tacites. Pensons par exemple à un parent qui devient plus distant ou perd toute son assurance dès que son enfant exprime sa colère. De telles réponses angoissent l'enfant, l'effraient et l'insécurisent. Pour s'assurer de ne pas mettre en jeu l'amour de ses parents dont il a tellement besoin, l'enfant refoulera ses sentiments agressifs et grandira de plus en plus en étranger à une partie de lui-même. Cependant, la colère interdite et non vécue ne disparaît pas, elle se transforme en se retournant contre soi de façon plus ou moins consciente ou en étant dirigée contre les autres de manière socialement acceptable. Le jeune enfant qu'on aura constamment réprimandé pour avoir exprimé de la colère et de l'envie face à la naissance d'un petit frère pourra, par exemple, refouler ses sentiments et adopter une conduite acceptable pour ses parents. Puis, peu de temps après et bien involontairement, il se mettra à mouiller son lit, causant ainsi une certaine frustration à ses parents tout en obtenant davantage d'attention.

L'enfant qui a dû réprimer sa colère grandira avec un masque de gentillesse et de gaieté, image qui sera souvent encouragée et valorisée par plusieurs personnes significatives de son entourage. Le jeune développera la conviction qu'il n'est aimable que pour sa gaieté et sa docilité. Devenu adulte, coupé d'une partie de sa vie affective, il aura du mal à se fier à ses propres sentiments, à reconnaître sa propre agressivité, n'en ayant pas suffisamment fait l'expérience. L'expression de sa colère sera ressentie comme menaçante, car la crainte d'être abandonné vécue dans l'enfance est toujours présente sous forme plus ou moins consciente.

L'expression indirecte de l'agressivité

La colère réprimée et la souffrance ressentie se traduiront inconsciemment par des agressions dissimulées qui peuvent prendre un nombre infini de formes. Ainsi, certaines personnes qui semblent bien intentionnées affichent à leur insu une certaine supériorité, par exemple dans le ton de la voix ou dans le regard. En face d'elles, on se sent facilement méprisable, petit. D'autres vont manifester leur agressivité de manière plus passive. Elles oublieront ce qu'on leur dit ou reporteront sans cesse ce qu'on leur demande de faire, n'arrivant pas à exprimer un refus direct. Ce faisant, elles éveillent notre colère, bien que ce ne soit pas leur intention. L'intellectualisation, qui consiste à tout rationnaliser et expliquer de manière détachée, permet à certaines personnes de se défendre de sentiments menaçants. En agissant ainsi, elles provoquent sans le vouloir la frustration de ceux qui tentent d'établir un contact affectif avec elles. Dans tous ces cas, la personne ignore ses sentiments réels, elle n'y a peu ou pas accès. Cependant, à partir des répercussions blessantes ou agressantes que son attitude produit sur nous, nous pouvons déduire qu'elle ressent du mépris, de la colère, de la frustration ou de la peur. Les sentiments qu'elle ne peut éprouver et exprimer directement sont alors vécus et portés par l'entourage.

L'inhibition de l'agressivité peut prendre des formes plus graves en contribuant à l'émergence de différentes maladies. Plusieurs études ont établi des liens entre le refoulement des sentiments et le développement de problèmes affectifs et physiques. Il en est ainsi de la dépression. Nombre d'individus qui se sentent déprimés portent en eux une vive colère (ou d'autres émotions) qu'ils n'arrivent pas à exprimer, souvent rongés par une culpabilité dévorante. La colère ainsi étouffée paralyse la personne dans un état dépressif. Une colère extrême, une rage retournée contre soi peut prendre la forme tragique d'un suicide. Parfois, en posant ce geste désespéré, la personne souhaite punir ceux envers qui sa rage n'a pas pu s'exprimer directement. L'angoisse, dans certains cas, peut traduire une forte rage refoulée que l'on projette sur des situations ou des objets extérieurs (la peur des hauteurs, des avions, etc.), évitant ainsi de prendre contact avec la colère à l'intérieur de soi. On pourrait aussi faire mention de l'impuissance et de la frigidité qui peuvent parfois être l'expression indirecte d'agressivité envers le conjoint. Désir de punir en ne donnant pas de satisfaction sexuelle ou en amenant l'autre à douter de son pouvoir de séduction. D'autre part, certaines maladies dites psychosomatiques, telles les affections cutanées, l'arthrite, l'hypertension et l'asthme, sont reconnues pour leurs liens avec l'agressivité refoulée. La maladie sert à détourner les impulsions agressives que l'individu n'arrive pas à extérioriser. Elle sert aussi parfois à obtenir le pouvoir et l'attention dont il a besoin et qu'il n'arrive pas à obtenir autrement.

Si, pour certains, le refoulement de l'agressivité et l'évitement de tout conflit ouvert provoquent d'immenses souffrances psychologiques et physiques, ils confinent cependant chacun à des relations interpersonnelles appauvries, confuses et fausses. Voulant se protéger d'une confrontation avec une charge affective qui a pris des proportions menaçantes, l'individu évite l'intimité et l'engagement et se condamne à une forme d'isolement. L'accès à ses sentiments et la capacité de les exprimer régulièrement favorise le développement d'une relation saine et authentique.

Afin d'accroître notre capacité d'expression et notre authenticité, il est nécessaire de remettre en question notre perception déformée de la colère (comme une émotion laide et négative) ainsi que notre peur irraisonnée de ses effets. La crainte que l'expression de notre colère soit destructrice est très répandue. Cette crainte de blesser l'autre, de le démolir, nous renseigne souvent sur l'intensité pressentie de nos sentiments qui se sont accumulés au point de nous apparaître menaçants et dangereux. La peur de blesser l'autre nous parle aussi de notre perception souvent fausse de la fragilité des gens. En fait, la plupart du temps, il n'y a aucun danger réel. La peur de perdre le contrôle de soi découle, elle aussi, du refoulement et de l'accumulation de la colère longtemps réprimée. Pour beaucoup, l'identification à un rôle social (l'enfant sage, le « bon gars », la « fille cool ») et la peur d'être rejeté peuvent freiner l'authenticité et l'expression des sentiments réels. Ici, l'appréhension que l'autre réagisse très négativement à notre colère indique que subsiste plus ou moins consciemment la crainte des châtiments, des menaces ou des abandons (affectifs) vécus dans l'enfance.

Rétablir le contact

L'agressivité cohabite toujours avec les sentiments tendres au sein des relations interpersonnelles. Ainsi, la première étape d'un changement consiste à reconnaître en chacun de nous l'existence de pulsions agressives. Il est essentiel d'admettre et d'accepter cette réponse émotionnelle comme une réalité humaine et normale.

L'agressivité refoulée, comme nous l'avons démontré, se cherche des exutoires, des moyens d'expression. Ainsi, en restant attentifs à l'impact de notre comportement sur autrui, il est possible d'éclaircir les motivations profondes de nos attitudes et de se réapproprier ce qui nous appartient. Les signaux qu'émet notre corps sont aussi des moyens précieux pour reprendre contact avec nos émotions. Des réactions physiques telles qu'une tension dans les mâchoires ou bâiller et s'endormir en présence d'autrui sont riches de renseignements. Il convient alors de se demander ce que notre corps tente de nous communiquer. Le contenu des rêves et des fantasmes peut aussi nous renseigner sur nos sentiments cachés, ceux que nous trouvons inadmissibles. En reconnaissant la charge agressive d'un fantasme et en se l'appropriant, nous nous rapprochons de nous-mêmes. Il n'est pas dangereux de laisser émerger à la conscience tous ses fantasmes, aussi violents soient-ils, car penser et agir sont deux choses bien différentes ! Finalement, tenter de nommer les diverses formes de répressions que nous avons vécues dans l'enfance peut amener une meilleure connaissance de soi.

Ces quelques outils sont des moyens pour reprendre contact avec une partie de soi. Une partie vivante, dynamique et légitime. Chacun a le droit d'être irrité, jaloux ou en colère en réaction à quelque chose qui le rend irrité, jaloux ou en colère. Nous ne devons aucune gaieté à personne.

LA COLÈRE,
POUR OU CONTRE SOI

Paule Morin

De toutes les émotions, la colère est sans contredit celle qui suscite le plus de controverse. Il s'agit d'une émotion que nous expérimentons de façon régulière surtout avec les proches (parents, collègues, amis).

La façon dont la colère est exprimée varie d'une personne à l'autre. Pour beaucoup d'entre nous cependant, la colère est perçue comme une nuisance, une émotion qui cause plus de tort que de bien. Et pourtant, en y regardant de plus près, on se rend compte que la colère est une émotion comme les autres qui comporte à la fois des aspects constructifs et des aspects nuisibles.

Les aspects constructifs de la colère

L'une des dimensions les plus importantes de la colère est sa fonction de signal. Elle nous indique qu'un événement que nous percevons injuste, frustrant ou ennuyeux vient de se produire. Lorsqu'on nous lance des injures, qu'on refuse de nous écouter ou qu'on porte atteinte à nos droits, nous éprouvons des sentiments de colère. La colère nous indique alors qu'il est important d'agir de façon à régler le problème.

La colère est non seulement un signal pour soi mais aussi un signal pour les autres. Elle permet d'exprimer à notre entourage nos insatisfactions et favorise, en ce sens, la communication. Parfois, l'expression constructive de la colère s'avère la meilleure méthode pour résoudre un conflit interpersonnel et susciter un rapprochement avec l'autre, par exemple, mettre nos limites, dire non ou exprimer des demandes.

Enfin, la colère nous donne de l'énergie, mobilise les ressources du corps et nous pousse à l'action. Elle permet d'assurer notre défense et de sauvegarder nos intérêts. Elle nous aide à maîtriser les situations difficiles.

La plupart du temps, la colère que nous ressentons est d'intensité peu élevée et n'échappe pas à notre contrôle. Elle prend la forme d'irritation ou d'agacement face à des problèmes de la vie quotidienne. Cependant, il peut arriver que la colère envahisse littéralement notre vie, nous domine et porte atteinte à notre santé et à la qualité de nos relations avec l'entourage.

Quand la colère devient un problème

Bien que nous ressentions tous de la colère, les événements qui la suscitent varient d'un individu à l'autre. Il y a des gens qui ont tendance à se fâcher pour tout et pour rien. Une telle irritabilité devient problématique puisqu'elle n'aide pas à résoudre les situations insatisfaisantes.

Des réactions colériques intenses peuvent être aussi l'indication d'une difficulté à composer avec cette émotion. Une colère intense peut nous amener à dire ou faire des choses inappropriées et éprouver des regrets et des remords par la suite. Elle nous fait perdre l'objectif principal qui est de résoudre le problème auquel on fait face. De plus, des colères répétées causent un stress important à notre corps et peuvent à la longue affecter notre santé. La colère peut ultimement nous amener à poser des gestes d'intimidation (briser des murs, casser des objets) ou des gestes d'agression physique (pousser, frapper) ou verbale (insulter, dénigrer l'autre) qui causent d'importants préjudices à notre entourage. Les conséquences peuvent aussi être très coûteuses pour la personne qui se laisse aller à de telles colères (rejet, isolement, poursuites judiciaires).

La colère peut également faire problème si elle dure trop longtemps. Les gens qui ruminent des événements passés et gardent rancune ont tendance à ne pas régler leurs conflits interpersonnels. Ils se maintiennent dans un état de méfiance vis-à-vis des autres et sont plus susceptibles de percevoir de la provocation dans leurs interactions avec les autres. Ces personnes choisissent parfois de couper les liens avec leurs amis ou leur famille et sont alors aux prises avec d'importants sentiments de solitude.

Colère, quand tu nous tiens...

Plusieurs éléments peuvent contribuer à augmenter le nombre, l'intensité et la durée des réactions colériques. Parmi les plus connues figurent les attentes que l'on entretient envers soi-même, les autres ou la vie en général. Plus nos attentes sont élevées envers nous-mêmes ou les autres, plus elles risquent de nous amener à éprouver de façon régulière des sentiments de déception et de colère. L'idée qu'on ne doit pas commettre d'erreur, par exemple, peut faire en sorte que nous ressentions de la colère envers nous-mêmes dès la moindre maladresse. Aussi, lorsqu'on croit que les gens devraient agir d'une certaine façon ou que les choses devraient se passer d'une certaine manière, on s'expose à éprouver de la colère toutes les fois où notre scénario ne se réalise pas. Les événements ou les gens devraient être exactement comme nous le voulons. La réalité, c'est que les gens se conforment à leurs propres règles et que certaines choses nous résistent ou sont incontrôlables. Parfois, la colère devient une stratégie pour éviter de vivre certaines émotions douloureuses. Plutôt que d'être tristes, de douter de nous-mêmes ou de vivre de l'impuissance, nous ressentons de la colère. Nous concentrons alors notre attention sur l'autre plutôt que sur nous.

Certains états peuvent rendre propice l'émergence de sentiments colériques. Les gens tendus, stressés ont tendance à réagir plus promptement à la provocation perçue. Les gens qui prennent les choses de façon personnelle et manifestent peu d'humour seront davantage portés à la colère puisqu'ils auront tendance à accorder beaucoup d'importance aux irritants de la vie quotidienne. Les gens qui font des crises de colère ressentent souvent, après coup, un soulagement important, un relâchement de la tension interne. La sensation de détente qui suit peut en soi être très gratifiante et les renforcer dans cette façon de régler leurs conflits. De même, l'expression de la colère peut leur permettre d'atteindre, buts et d'obtenir ce qu'ils veulent des autres en les intimidant. Apprendre à se détendre, éviter de dramatiser la situation, inviter les autres à la coopération plutôt que d'imposer ses vues sont des stratégies qui peuvent nous permettre d'atteindre nos buts tout en évitant les répercussions indésirables de la colère.

Enfin, un manque de communication ou une mauvaise compréhension du message de notre interlocuteur peut engendrer la colère. Parfois, ce sont nos habiletés d'écoute qui sont en cause; parfois, c'est notre façon de communiquer (un mauvais choix de mots, des manifestations d'impatience ou d'hostilité...) qui indisposent les autres et peuvent créer des situations de conflit.

La colère est une émotion complexe, difficile à maîtriser. Mieux se connaître, apprendre à identifier les situations qui nous fâchent et décider de la façon dont nous voulons exprimer notre colère constituent le point de départ pour tirer le meilleur parti de cette émotion fondamentale de façon à mieux vivre avec soi et avec les autres.

Références

Luhn, Rebecca. *Maîtriser la colère*, Les Presses du Management, Noisiel, 1992.

Novaco, Raymond W. « Clinical Problems of Anger and its Assessment and Regulation Through a Stress Coping Skills Approach » dans W. H. O'Donohue et L. Krasner, Éds., *Hanbook of Psychological Skills Training : Clinical Techniques and Applications* (p. 320-338), Allyn & Bacon, Boston, MA, 1995.

LA VIOLENCE, EXPRESSION D'IMPUISSANCE

Marie-Andrée Linteau

Il y a tous les jours dans les journaux des comptes rendus de meurtres, d'agressions de toutes sortes, de guerres, de conflits et, parallèlement, dans chacune de nos histoires familiales intimes, des paroles, des gestes ou des silences tout aussi violents.

Est-il possible d'imaginer un monde sans violence, où régneraient uniquement l'harmonie, la paix, la collaboration ? Non seulement ce serait une pure utopie, mais cela signifierait également que l'on prive l'être humain d'une partie vitale de lui-même, de son pouvoir personnel et, paradoxalement, cela engendrerait encore plus de violence. Si nous devons arriver à diminuer les risques d'actes destructeurs de violence dans notre société, c'est d'abord en comprenant la fonction que joue la violence dans la vie des individus et des groupes. Rollo May, psychothérapeute américain, a écrit à ce propos un excellent livre intitulé *Power and Innocence* dans lequel il analyse les sources de la violence.

Celle-ci proviendrait d'un état d'impuissance, c'est-à-dire d'une incapacité à sentir qu'on peut influencer les autres. Le pouvoir est donc nécessairement interpersonnel et constitue un concept clé dans la compréhension des sources de la violence; le mot vient du latin *posse* qui signifie être capable. C'est une force de vie essentielle à tout être humain, celle-là même qui a permis à l'homme de contrôler la nature et de survivre à travers les âges.

L'escalade de la violence

Il y a, selon Rollo May, cinq niveaux de pouvoir potentiellement présents dans la vie de chaque être humain.

Le premier est *le pouvoir d'être*, c'est-à-dire la capacité d'exprimer ses besoins fondamentaux pour assurer sa survie physique.
Quand le nouveau-né crie et pleure, il exerce son pouvoir en mani-
festant son besoin d'être nourri, réchauffé, protégé. Si on ne répond pas
à l'appel de cet enfant, il se retirera dans un coin de son lit, se taira, se
laissera aller physiquement ou deviendra « psychologiquement mort ».
Le pouvoir d'être ne peut être nié qu'au prix de la névrose, de la psy-
chose, de la violence ou de la mort; dans ce sens, il n'est ni bon ni
mauvais, il est un fait de la vie.

Le deuxième niveau est celui de *l'affirmation de soi,* c'est-à-
dire de la capacité à sentir qu'on est « signifiant » pour quelqu'un
d'autre, que non seulement on peut survivre physiquement, mais
survivre avec l'estime de soi. Ce besoin de reconnaissance est essentiel
à tout être humain, il permet de donner un sens à sa vie. Si on y répond
adéquatement dans la famille, l'enfant peut alors tourner son attention
vers la découverte de son univers. Si, par contre, cette reconnaissance
lui est niée (comme par exemple dans le cas où les parents n'acceptent
pas que leur enfant soit une personne différente d'eux), l'enfant, et
l'adulte qu'il deviendra, se lancera alors dans une quête compulsive de
cette reconnaissance, marquée par une compétition destructrice où le
succès ne peut s'obtenir qu'au prix de l'échec des autres.

Lorsqu'un individu ou un groupe se voit refuser la reconnaissance de ce qu'il est dans son identité propre pendant un certain temps,
il réagit en s'affirmant avec plus de force. May parle alors à ce niveau
d'assertion, une façon de dire « Voilà, je suis là, et je demande que
vous me remarquiez ».

Le stade suivant est celui de *l'agression.* En effet, si on paralyse
ou empêche l'assertion d'un individu ou d'un groupe, celui-ci passe
alors à l'attaque, en agressant l'autre sur son territoire pour signifier
son point de vue avec plus de force.

106

Enfin, si de nouveau il y a une fin de non-recevoir, une impossibilité aux yeux de l'individu d'être entendu et respecté, alors celui-ci n'a plus d'autre choix que *la violence*; elle devient la seule façon de soulager la tension, d'exprimer la rage liée au sentiment de totale impuissance. La violence serait donc en bout de ligne le résultat d'une rage, d'une colère longuement refoulée.

La fausse innocence ou l'invitation à la violence

La notion de pouvoir est souvent associée à une image négative, celle de la domination d'un plus fort sur un plus faible. Mais la domination n'est-elle pas davantage l'expression d'une impuissance, d'une forme de « pseudo-pouvoir » ?

Rollo May définit le pouvoir comme une capacité d'influencer les autres, issue d'un sentiment réel de signification personnelle. Le pouvoir implique donc une responsabilité, celle d'assumer comme adulte ses propres besoins, d'affirmer son identité, de risquer de faire des erreurs et de porter la culpabilité. Il est possible, à un moment donné de notre vie, que nous préférions nier notre pouvoir et la responsabilité qui en découle pour nous cantonner dans une position de « pseudo-innocence », de victime. Nous posons alors sur la vie un regard naïf, évitant de constater le danger; nous nous considérons comme des personnes irréprochables et accusons les autres d'abuser de leur pouvoir à notre égard. « C'est la faute du système » devient l'expression passe-partout. Se considérer dans la vie comme une victime de violence peut devenir la seule façon de se croire important, significatif pour les autres.

C'est en reconnaissant et en assumant son besoin légitime de pouvoir, de signification personnelle, en admettant la possibilité toujours présente de sa propre violence qu'un individu et, par extension une société, peut devenir adulte et tenter de diminuer les risques d'explosion de violence destructrice.

Référence

MAY, Rollo. *Power and Innocence,* New York, Delta Books, 1972.

SE POSER EN VICTIME, UN CERCLE VICIEUX

Céline Mondor

Vous est-il déjà arrivé de fréquenter une personne qui a tendance à se plaindre des autres plutôt que de se remettre en question ? Quoi que vous fassiez, vous n'avez jamais l'impression de la satisfaire. De moins en moins subtilement, à mesure que vous devenez plus familiers, elle vous fait des reproches, des critiques sur votre façon de mener votre vie. En fait, ce qu'elle vous dit, c'est que vous devriez être comme elle. Cette personne, que nous appellerons la « victime », peut en effet se poser en modèle; selon elle, le monde tournerait plus rond si seulement les autres avaient la sagesse d'imiter sa « vertu ». La victime ne tente rien de moins que d'être parfaite. Elle essaie désespérément de se faire aimer. Elle se *sacrifie* pour son entourage en s'attendant secrètement à ce que toute cette bonté lui soit rendue. Or, cela arrive rarement. Non pas qu'elle soit entourée exclusivement de personnes sans-cœur et égoïstes, mais ses attentes et sa bonté sont à ce point démesurées qu'elle n'a jamais l'impression d'être appréciée à sa juste valeur. Elle a le sentiment d'être incomprise, rejetée et mal aimée, ce qui, on le devine aisément, lui cause beaucoup de souffrance et de frustration.

Le piège

Bien sûr, cette personne ne se rend pas compte que par son attitude et son comportement, elle provoque justement cet isolement qu'elle redoute. Incapable de respecter ses limites, elle laisse les autres abuser d'elle sans trop s'en rendre compte. Elle donne trop. Ce don a toutefois ceci de particulier qu'il n'est pas gratuit. La victime espère en retour de la gratitude, de la reconnaissance, une confirmation qu'elle est aimable, serviable, gentille, qu'elle est mieux, plus que les autres. Une telle confirmation ne vient jamais. Il y a en effet tellement d'abnégation et de mépris de soi chez la victime que des signes ordinaires de reconnaissance extérieure paraissent bien fades et inadéquats; ils ne suffisent pas à remplacer le respect de soi qui est sacrifié.

La victime développe donc une perception faussée du monde. Ne prenant pas la responsabilité de ce qui lui arrive, passive et aux prises avec des attentes constamment inassouvies, elle en vient à percevoir l'entourage comme mauvais et hostile à son égard. Et sans s'en apercevoir, elle devient hostile à son tour, envieuse, méfiante, désabusée. Elle finit par poser sur le monde un regard critique et accusateur. Elle cherche à l'extérieur d'elle-même un responsable de sa condition de victime. Par des remarques détournées (la victime a du mal à exprimer clairement et directement sa colère), elle fait en sorte que les autres autour se sentent coupables, mesquins, égoïstes. Elle leur fait sentir qu'ils lui *doivent* quelque chose. Rapidement, les proches sentent le poids de ce blâme secret et s'éloignent. Ce qui ne fait que confirmer à ses yeux qu'on la traite injustement et que sa haine est fondée.

On peut voir comment ce cercle vicieux mène à une déresponsabilisation et à un isolement toujours plus grand. Le fait de porter son attention sur l'extérieur amène la personne à perdre contact avec son monde intérieur, c'est-à-dire ses sensations (tension, malaise), ses sentiments (amour, haine), ses émotions (honte, peur, colère, tristesse), ses intérêts et ses désirs. Elle devient de plus en plus confuse et ignorante de ses besoins, donc incapable de les satisfaire. À un moment de sa vie, la personne qui a *développé* une attitude de victime (car on ne naît pas victime) constate que ses relations sont souvent superficielles ou éphémères. Elle se sent seule, arrive rarement à s'entourer de gens qui l'intéressent et qui lui démontrent amitié et estime. Elle peut aussi se sentir constamment insatisfaite, envahie d'un sentiment de manque, de vide et d'impuissance. Malheureusement, cette impuissance à satisfaire ses besoins d'affection et d'intimité les plus profonds ne fait souvent qu'exacerber sa rage et entretenir sa rancœur envers le monde.

De l'enfant raisonnable à l'adulte victime

La famille d'origine fournit à l'individu un modèle qui influence sa façon d'entrer en relation. Des auteurs se sont penchés sur le développement de l'enfant pour tenter de comprendre comment certains comportements, autrefois adaptatifs, deviennent nuisibles dans la vie adulte en empêchant de nouer des relations satisfaisantes. L'enfant n'a pas eu le choix de se conformer à ce qui a été exigé de lui; sa survie en dépendait et il a dû s'adapter à son environnement. Il est impossible de s'adapter à un milieu dysfonctionnel sans le devenir soi-même. John Bradshaw explique que, dans une famille dysfonctionnelle, les rôles joués par chacun des membres sont rigides et au service du maintien du système familial au détriment de l'épanouissement individuel. L'individu et ses besoins sont sacrifiés au profit de l'équilibre de ce système. Alice Miller, quant à elle, dénonce une forme d'éducation qui dresse les enfants sans tenir compte de leurs besoins mais plutôt des intérêts des adultes. Plusieurs auteurs s'accordent pour dire que l'enfant est dépendant de ses parents et impuissant face à leur comportement. Que peut faire un enfant à qui on reproche de déranger, de coûter cher ou d'empêcher ses parents de mener la vie qu'ils auraient souhaitée ? Il arrive qu'il se sente responsable des lacunes, des incapacités, des limites de ses parents. Devenant conscient de problèmes d'adultes qu'il ne peut comprendre et encore moins résoudre, l'enfant se sent impuissant. On peut penser qu'il en vient à se dire que si ses parents sont trop malheureux à cause de lui, ils pourraient l'abandonner. Il se sent méchant de leur causer tant d'ennuis, coupable et responsable de ce qui ne va pas. Il a peur. L'enfant se décentre de lui-même, se met à répondre aux besoins de ses parents, alors que ce devrait être l'inverse. Il devient raisonnable, prend peu de place et, surtout, grandit avec la conviction qu'il est méchant et indigne d'être aimé. Si l'enfant peut croire qu'il est responsable du malheur de ses parents, il croit aussi qu'il peut réparer leurs failles pour qu'ils puissent enfin s'occuper de lui. Plus tard, cet enfant devenu adulte répétera ce type de relation où il se mettra au service des autres en négligeant ses propres besoins.

Très tôt dans leur vie, certains ont peut-être appris à diriger leur énergie et leur attention sur la vie et le bonheur des autres. À partir du moment où ils se rendent compte qu'ils n'ont de pouvoir que sur leur propre vie, il ne sert plus à rien d'espérer changer les autres. Il leur appartient d'apprendre à dire non, d'exiger le respect d'eux-mêmes dans leurs rapports avec les autres. Avoir l'assentiment et l'approbation de l'autre n'est *plus* nécessaire à leur survie. Ils ne sont plus ces enfants démunis qui dépendent totalement de leur milieu de vie.

Prendre d'abord conscience de ses besoins

Le portrait de la victime peut paraître démesuré, presque caricatural. Il n'est pourtant qu'un exemple de comportement dysfonctionnel qui empêche l'adulte de satisfaire ses besoins affectifs. La victime n'est ni méchante, ni coupable. Simplement, ses besoins légitimes de saine dépendance, c'est-à-dire être entendue, reconnue, importante pour quelqu'un, n'ont pas reçu de réponse. Les premières personnes significatives n'ont pas su lui confirmer suffisamment le sens et la valeur de son existence en tant qu'être humain. Il est toutefois possible, par une prise de conscience et un certain cheminement intérieur, d'apprendre à s'écouter et à se respecter. Et ainsi, devenir véritablement disponible et à l'écoute sans pour autant s'oublier et se sacrifier pour l'autre.

Références

Bradshaw, John. *S'affranchir de la honte*, Le Jour Éditeur, 1993.

Miller, Alice. *La connaissance interdite*, Éditions Aubier, 1990.

LES PERTES
DE LA VIE

AU CŒUR DU VIDE

Anouk Beaudin

Notre espace intime, notre monde intérieur peut être vécu de manières fort diversifiées. Plein, riche et vivant, il peut aussi être ressenti comme étant plus ou moins vide, un trou, un désert, un vide intérieur. Ces sensations, que certains nomment lourdeur, ennui, déprime, manque, privation, sont autant d'états que nous pouvons tous ressentir. S'y pencher, s'attarder à ces sensations désagréables fait souvent peur et, la plupart du temps, nous cherchons à les éviter, les oublier, les fuir.

L'envie d'agir, de se remplir par des apports extérieurs peut devenir compulsive. Des efforts considérables peuvent être déployés dans cette quête hors de soi. En fonçant yeux clos dans le travail ou à l'étude, en s'étourdissant, en s'enivrant, en voulant posséder inlassablement. Efforts plus ou moins conscients pour tenter d'échapper à l'expérience du vide.

Et si à l'intérieur de soi, il n'y avait rien, rien que du vide ? Ou si derrière ce vide se cachaient quelques révélations horribles, quelques aspects inavouables de soi ? Pourrait-on se regarder en face tel que l'on est ? Toutes ces craintes et ces angoisses nous précipitent vers ce qui n'est pas nous, ce qui est distraction. « Et si je m'achetais de nouveaux vêtements ! » Une excitation, un sentiment de vie naissent de cette idée pleine de promesses. Une nouvelle peau pour se réchauffer ! À peine ramenée chez soi qu'elle semble déjà banale, insignifiante et nous revoilà seuls avec notre nudité. Après de multiples efforts d'apaisement qui ne semblent qu'accentuer l'impression de vide et d'accablement, on commence à se questionner plus profondément sur son malaise.

La perte de soi

Les sentiments dépressifs, le mal de l'âme, les impressions de vide sont souvent liés à une perte de contact avec soi ou une partie de soi. On devient étranger à soi-même. Loin de nous, de notre vitalité, reste une impression de vide, une lourdeur. À cet éloignement de soi, s'ajoute la difficulté de se rapprocher d'autrui, puisqu'il faut être présent à soi pour rencontrer l'autre. Sinon, qui serait en relation ?

La perte de contact avec soi, avec ses vrais sentiments et ses vrais besoins, peut découler d'une non-reconnaissance de soi qui a marqué l'enfance. Un manque important de présence parentale (présence physique ou psychologique) entraîne des conséquences graves. L'enfant, laissé à lui-même sans stimulis adéquats ni échos suffisants, souffre de nombreux manques. Là où il aurait dû se passer quelque chose, il ne s'est rien passé, rien que du vide. Un vide que l'adulte redoutera et dont il tentera de se défendre en se remplissant compulsivement. Par ailleurs, des parents, bien qu'ils éprouvent une véritable affection pour leur enfant, n'ont pu reconnaître et accepter certaines de ses sensations, émotions ou besoins. On retrouve, par exemple, des enfants qui n'ont jamais pu vivre leur mécontentement, leur colère ou leur douleur en toute liberté. Lorsque l'enfant se fâchait, son parent devenait plus distant ou perdait toute assurance, lorsqu'il souffrait, son parent avait peur. Pour s'assurer de ne pas mettre en jeu l'amour qui lui est indispensable, l'enfant a dû réprimer ses sensations et ses émotions et grandir coupé, anesthésié d'une partie de lui-même.

Un deuil, la perte ou la séparation d'un être aimé peuvent aussi faire surgir des sensations de vide. Que de sentiments douloureux nous pouvons alors désirer éviter, fuir. Et cela est parfois possible, le temps d'un printemps. Et puis vient l'hiver et on ne comprend pas ce qui nous arrive. Tout ce qui nous intéressait nous laisse froids, indifférents. On se sent seul, sans vie. Qu'avons-nous fait de nos amours blessées ? On les a délaissées au grenier, on s'est coupé de son expérience, de soi.

En fait, dès qu'un sentiment est négligé, une colère niée, une peine minimisée, on s'éloigne de soi. À ne pas vouloir souffrir, ne sommes-nous pas alors moins vivants ?

La perte de soi ou d'une partie de soi est douloureuse. Lorsque nous perdons accès à ce qui nous inspire, nous ravit ou nous chagrine et nous blesse, à ce qui nous fait plaisir ou ce qui nous effraie, nous ne sommes plus en mesure de choisir notre vie.

Rentrer chez soi

Peut-on remplir ce vide intérieur ou est-il condamné à rester vide, un trou ? Peut-on apprivoiser le vide, apprendre à vivre avec, telle une vieille blessure connue qui ne cesse jamais vraiment de nous faire souffrir, mais d'une souffrance si familière qu'elle fait partie de nous. Peut-être est-il possible que le vide, le manque reste, mais que tout autour, nous fassions fleurir le plein potentiel, les forces qui nous habitent, tel l'amputé des membres inférieurs dont les bras et le caractère atteignent une force exceptionnelle ? Ou bien peut-on remplir, combler ce manque ? D'abord de notre attention. D'une attention qui est le contraire de la négation et de la fuite. D'une prise en considération inquiète puis plus soutenue. Une blessure dont on s'occupe est déjà moins vive qu'une blessure qu'on ignore. Faire l'expérience du vide permet de ressentir ce qu'il y a derrière et qui n'a jamais été pleinement ressenti. Ce qui est craint doit être éprouvé. Cette démarche permet d'éclairer le vide, lui rendre sa couleur, sa substance, son histoire. Depuis quand est-il là ? Comment a-t-il pris place en moi ? Que cache-t-il ? Des blessures, des manques, des désirs inassouvis, des besoins non satisfaits, partiellement comblés. Besoin d'amour, de reconnaissance. Un manque d'attention à soi-même, un manque de considération face à certains de ses besoins, certaines de ses émotions. Un vide spirituel, un manque de sens à sa vie, le sentiment que tout est futile, n'a pas de sens. Pour chacun, les histoires et les secrets sont différents, personnels.

Une démarche féconde

Si on arrive à nommer et à accepter ce que le vide appelle, l'impression de vide ne domine plus toute la vie. Il devient alors possible de répondre, de nourrir petit à petit ses manques. L'aide d'un thérapeute attentif peut faciliter ce processus. Certaines relations amicales et amoureuses peuvent aussi y contribuer grandement ainsi que la façon dont on choisit de mener sa propre vie. Une chose semble certaine : le fait de nier et d'éviter de prendre conscience de ce qui souffre en nous ne nous permettra jamais de guérir quoi que ce soit. Un soulagement temporaire peut-être, mais de guérison, de changement profond, point. La démarche vers soi est féconde et riche de possibilités. Elle invite d'abord au risque et au courage, courage de regarder l'inconnu, puis à l'apprivoisement et à la compréhension. Cette intimité croissante avec nous-mêmes, dans notre totalité, donne plus d'humanité. Une présence à soi qui appelle une présence aux autres.

LES PERTES INÉVITABLES DE LA VIE

Stéphanie Zimmer

Nous tissons tout au long de notre vie une multitude de liens. Liens avec des personnes mais aussi avec des animaux, un quartier, un travail, etc. Tout ces liens nous rappellent à leur façon qui nous sommes et où nous en sommes dans le parcours de notre existence. Grâce à eux, notre vie devient plus stable et plus sécurisante. Ainsi, lorsque nous perdons un lien, nous perdons du même coup une sécurité dont nous jouissions. Nous nous retrouvons alors dans un état de déséquilibre plus ou moins grand selon la signification que nous donnions à ce qui est perdu. Nous sommes alors en deuil.

Petits et grands deuils

On appelle « deuil » le processus d'adaptation aux différentes pertes qui surviennent dans notre vie. Le deuil implique un ensemble d'émotions éprouvées lors de la perte de quelqu'un ou de quelque chose qui nous est particulièrement significatif. On utilise d'ailleurs souvent l'expression « faire son deuil » quand on a un détachement à faire et, en ce sens, chacun de nous est appelé à vivre différentes situations de deuil au cours de son existence. Précisons toutefois que ces expériences ne sont pas vécues pareillement pour chacun de nous. Notre personnalité ainsi que les circonstances dans lesquelles nous nous retrouvons exercent une influence considérable sur le déroulement du deuil. En conséquence, tous les deuils n'entraînent pas le même genre ni la même intensité de chagrin, d'anxiété ou de déséquilibre. La durée et l'intensité des émotions vécues vont, entre autres, varier selon la gravité du vide qui suit la perte. Le sentiment d'absence peut en effet se liquider en quelques heures, comme dans le cas d'un rendez-vous manqué ou encore durer plusieurs mois comme c'est parfois le cas lors d'une rupture amoureuse.

Les phases du deuil

Malgré les réactions individuelles, il semble possible de dégager un schéma typique du deuil. Selon ce schéma, l'individu en deuil passerait par une succession de phases de deuil qui peuvent se chevaucher pour littéralement compléter le processus de deuil. La première phase de ce processus est le choc : cette impression d'irréalité qui nous assaille lorsqu'on apprend que l'on vient de perdre quelque chose ou quelqu'un. Le suicide d'un ami, un congédiement inattendu, l'annonce d'une maladie en sont tous des exemples. Il arrive fréquemment que l'individu aux prises avec une perte se voit d'abord incapable de ressentir quoi que ce soit face à l'événement. Cette réaction est en fait une mesure de survie qui nous empêche de nous sentir complètement envahis et qui nous permet de continuer à fonctionner. Ce mécanisme de survie devient cependant inadapté lorsque la vie émotive demeure bloquée longtemps après que l'événement douloureux soit passé. En effet, en nous coupant de notre univers affectif, nous perdons contact avec notre sensibilité. Nos émotions deviennent alors très ténues, comme si un voile épais couvrait notre existence.

Ce n'est qu'à la seconde phase de deuil qu'on se laisse atteindre par la pleine réalité de la perte. Il s'agit d'une phase de déséquilibre où les émotions ténues du début deviennent pleinement ressenties. Lors de ces expériences, il arrive d'éprouver un sentiment de panique, comme si on avait complètement perdu le contrôle de soi.

Souvent, cette période s'accompagne d'une intense activité des rêves. Des comportements de protestation et de colère peuvent être dirigés contre des cibles variées comme, par exemple, en vouloir à la personne qui est partie et qui nous a abandonné, au patron qui nous a congédiés, etc. Dans bien des cas, cette colère peut être retournée contre soi et être transformée en culpabilité. Par exemple, cela peut se faire en se reprochant les maladresses et les manques dont on a pu être l'auteur dans une relation, ce qu'on a négligé de faire pour éviter que

120

survienne une maladie ou un accident. Ce genre de dialogue intérieur engendre alors de pénibles émotions comme des sentiments de dépression et d'abattement. On peut alors se sentir impuissant, démotivé, inutile et incapable de se prendre en main. Pour s'aider soi-même, il devient alors important de faire une distinction entre nos erreurs réelles et nos erreurs imaginées par culpabilité et d'arriver à nous percevoir de façon réaliste, c'est-à-dire avec nos forces et nos qualités mais aussi avec nos faiblesses et nos imperfections. Comme l'on ne se fait pas toujours un portrait très juste de nous-mêmes, il peut nous arriver au cours de cette phase d'avoir des réactions d'idéalisation qui consistent à ne voir que du positif à ce qui a été perdu. Ces réactions ont souvent comme but d'atténuer la colère ou l'amertume que l'on ressent envers ce qui n'est plus.

Dans ce monde où règne l'idéologie de l'instantané, nous sommes portés à sortir rapidement de notre malaise intérieur. Mais le processus naturel de guérison de notre état émotionnel doit suivre son cours. Plus la perte est grande, plus la guérison et la récupération seront longues. Compte tenu de la souffrance du deuil, ce n'est qu'après le choc et la période de déséquilibre subséquente qu'il devient possible de passer à une troisième phase qui amène à l'accomplissement du deuil. À ce stade, les émotions qui nous tenaillaient peuvent être encore présentes mais de façon moins intense et moins fréquente. Nous apprenons alors progressivement à vivre avec la perte et à l'accepter. Nous retrouvons un certain équilibre affectif qui peut aller jusqu'à se traduire par une nouvelle image de soi. Nous envisageons tranquillement la possibilité de nous réinvestir dans une relation, un travail ou une activité qui nous tient à cœur.

Ces trois grandes phases se franchissent plus ou moins laborieusement en fonction de certains facteurs. Comme il a déjà été mentionné, plus la perte sera importante, plus nous aurons du mal à retrouver notre équilibre. À notre perte, il faut aussi ajouter toutes les pertes secondaires qui s'y greffent. Par exemple, une personne qui se voit congédier peut perdre à la fois son emploi, son statut, la reconnaissance, ses collègues de bureau et un certain cadre de vie. D'autre part, le deuil met aussi à l'épreuve nos ressources d'adaptation. L'accomplissement du deuil devient plus compliqué lorsque nos ressources sont déjà mobilisées par d'autres facteurs de stress indépendants de la perte vécue. Ce serait par exemple le cas lors d'une maladie qui survient alors que nous sommes déjà bouleversés par une rupture amoureuse.

Pour mieux faire son deuil

Bien que ces crises de la vie soient douloureuses, la souffrance que nous vivons lorsque nous sommes en deuil n'est pas là pour ajouter à notre malheur. En fait, elle est là pour nous aider à réaliser l'ampleur de l'atteinte personnelle qu'on a subie et souligner l'importance de prendre soin de nous-mêmes. Il y a diverses façons de s'aider dans ces périodes difficiles de notre existence. Dans un premier temps, prendre soin de soi c'est d'abord assumer notre souffrance. Le fait de se révolter, de parler, de pleurer n'est pas un signe de faiblesse. Parler de la perte qu'on vient de subir nous permet d'introduire un peu d'ordre dans la confusion, d'exercer un certain contrôle sur des événements qui ont pu nous submerger et nous aider à dégager un sens à un événement perçu jusqu'ici comme incompréhensible. Heureusement ou malheureusement, on ne peut se fuir soi-même. Si, pour certaines raisons, les émotions engendrées par la perte n'ont pas été liquidées, ces dernières pourront ressurgir plusieurs semaines, mois, ou même plusieurs années plus tard. Il devient donc important de ne pas chercher à camoufler sa peine en paraissant fort et inatteignable.

Au-delà de la peine et de la révolte ressenties suite à une perte, il devient également important de regarder si d'autres émotions peuvent être présentes en nous. Certains sentiments sont souvent plus difficiles à toucher car ils peuvent venir remettre en question l'image qu'on se fait de soi-même. Les sentiments d'abandon, d'impuissance, de culpabilité et de colère font partie de la gamme des sentiments que nous refusons souvent de vivre. Néanmoins, il est important de les révéler pour arriver à mener à terme le processus de deuil.

En ce sens, perdre provoque souvent une crise profondément existentielle qui bouleverse plusieurs aspects de notre vie et qui interpelle simultanément notre passé, notre présent ainsi que notre avenir. Pour comprendre l'impact d'une perte, il devient souvent bénéfique d'explorer sa propre histoire de pertes au cours de sa vie et de vérifier la façon dont a été vécu nos deuils. Il peut arriver que ce soit nos deuils non résolus qui se trouvent réanimés par la perte actuelle et, conséquemment, les émotions reliées à ces premières pertes peuvent venir interférer avec le travail de deuil qui est présent.

Finalement, soulignons que notre réseau de soutien est des plus importants en période de deuil. Par ailleurs, la disponibilité du soutien est une chose et son utilisation effective en est une autre. En effet, lorsqu'on se sent souffrant, on a parfois tendance à s'isoler pour pouvoir exprimer à son aise sa révolte ou son chagrin. Et, bien qu'une certaine dose de solitude soit nécessaire, il importe d'utiliser notre réseau social, que ce soit la famille, les amis ou même l'aide d'un professionnel dans le cas où nous ressentions, malgré nos efforts, un blocage à l'une ou l'autre des phases du deuil. C'est humain et courageux de demander de l'aide lorsqu'on traverse une période difficile.

Lectures proposées

Hétu, Jean-Luc. *Psychologie du mourir et du deuil,* Montréal, Éditions du Méridien, 1989.

Monbourquette, Jean. *Aimer, perdre et grandir,* Saint-Jean-sur-Richelieu, Les Éditions du Richelieu Ltée, 1984.

Viorst, Judith. *Les renoncements nécessaires,* Paris, Éditions Robert Laffont, 1988.

JEUNE À JAMAIS

Anouk Beaudin

La culture occidentale survalorise la jeunesse et impose un modèle dévalorisant du vieillissement. La jeunesse est idéalisée parce que nous l'associons intimement à la beauté et que l'apparence dans nos sociétés occupe une place dominante. Cependant, les normes esthétiques varient à travers les époques et les cultures. Une vision plus élargie nous permet de constater les changements profonds que l'esthétique a subis à travers le temps. Au Moyen Âge, par exemple, les marques du vieillissement ne sont pas dissimulées, elles sont même mises en évidence. La ride revêt un caractère esthétique et la cacher constitue un péché, car c'est se dresser contre l'ordre naturel voulu par Dieu. Puis, vers le milieu du XVIIe siècle, on commence à masquer les marques du vieillissement, cultivant progressivement une beauté du lisse et du plein dont l'apogée semble atteinte aujourd'hui. Le changement des normes esthétiques ne se fait pas sentir seulement à travers le temps, mais aussi, de nos jours, à travers les différentes cultures. En Océanie, et plus particulièrement en Polynésie, la beauté n'est pas nécessairement synonyme de jeunesse. Ce sont deux choses différentes. Ainsi une personne peut rester belle tout au long de sa vie. En vieillissant, elle perd sa jeunesse et non sa beauté.

La jeunesse et sa part de difficultés

Ainsi, notre culte de la jeunesse est une attitude propre à notre temps et à notre civilisation et mérite d'être remis en question. La survalorisation du juvénile gâte les plaisirs propres à chaque étape de la vie et plus particulièrement ceux liés à la vieillesse. Celle-ci ne semble que correspondre à laideur physique, limite, détérioration et mort. Pourtant, chaque âge vient avec ses forces et ses limites. Même la jeunesse comporte sa part de difficultés et cette étape de la vie n'est pas exempte de problèmes. S'il faut avoir l'air jeune pour être considéré comme attrayant, il ne suffit pas d'être jeune pour être perçu et se considérer comme tel. En effet, l'adolescent et le jeune adulte, bien que détenteurs de la jeunesse tant prisée par leurs aînés, ont des préoccupations importantes au sujet de leur apparence et de leur aptitude à séduire. Pour la plupart, être beau et désirable nécessite la conformité aux critères à la mode, dont le principal est certainement la minceur. Les pressions pour atteindre ces standards sont omniprésentes. Les publicités et conseils fusent de partout associant frauduleusement bien-être à jeunesse et minceur. La déviation physique par rapport aux critères en vogue peut entraîner des sentiments de honte et affecter l'estime de soi. Jointe à la tâche de s'accepter physiquement, l'adolescent et le jeune adulte se débattent avec des enjeux aussi fondamentaux que la quête de l'identité, l'accès à l'autonomie (affective et financière), l'établissement de relations intimes et durables et l'intégration sociale.

Préserver les apparences de la jeunesse

La quarantaine atteinte, ces bases sont souvent acquises. À cette étape intermédiaire de la vie, on assiste parfois à un changement de valeurs, de priorités, en raison de la découverte du caractère inévitable de notre propre mort et de notre vie intérieure. C'est le temps de remettre en question les définitions de nous-mêmes, y compris celle de la beauté, afin de jouir davantage de la vie dans toute sa diversité, sans la recherche d'un modèle de beauté conditionné. Il n'est cependant pas facile de renoncer à son moi antérieur, celui qui n'a pas de ride et qui croit que la vie est éternelle. C'est ici que plusieurs butent et tentent désespérément de revenir en arrière en arborant à nouveau les apparences de la jeunesse au prix de pénibles chirurgies esthétiques, de régimes et de mises en forme de toutes sortes.

La vieillesse s'installe inexorablement avec, bien entendu, sa part de limites mais aussi de nouveaux intérêts : temps de réflexion, de retour sur les événements d'une vie, acquisition d'un sens de l'achèvement et recherche, parfois atteinte, de la plénitude. Ces étapes ne sont pas valorisées. Elles sont à peine reconnues et cela risque de demeurer tant que la vieillesse sera associée à la laideur. Les marques du temps sur notre visage et notre corps sont le témoignage du sens et de la beauté de notre histoire personnelle, de notre expérience humaine et devraient être regardées et reconnues comme telles, surtout à une époque où notre espérance de vie est très prolongée.

À la recherche d'un bien-être intérieur

Les étapes de la vie, ces transitions, sont des passages essentiels à l'évolution. Tenter de contrôler notre corps en le figeant dans une éternelle jeunesse est un substitut précaire au contrôle réel de sa propre vie, un refus de confronter ses déceptions et sa vérité, une non-prise en compte de la continuité de la vie et de sa propre histoire. Le besoin d'établir un contrôle sévère sur son corps dévoile souvent la présence d'un sentiment de perte de contrôle, d'un mal-être intérieur. En contrôlant son apparence, la personne tente de reprendre du pouvoir, d'augmenter son estime de soi. Ses efforts aboutissent inévitablement à un sentiment d'insatisfaction puisqu'ils n'atteignent pas la bonne cible. En effet, les remaniements extérieurs visent, la plupart du temps, la recherche d'un bien-être intérieur. La vraie tâche consiste à faire face à nos déceptions, à nos limites, à notre vérité et à apprendre à se sentir bien d'être ce que nous sommes.

LA PEINE D'AMOUR
NE DURE PAS TOUJOURS

André Binette

Chaque être réagit de façon personnelle à une rupture amoureuse. Certaines personnes voient leur équilibre affectif peu atteint et regardent vite la perte subie comme du passé. Il n'en demeure pas moins que l'éclatement des liens affectifs provoque chez plusieurs une charge émotive très intense, et parfois un véritable état de crise. C'est bien sûr à eux que s'adressent ces réflexions... et à ceux qui ont à les accompagner dans ces moments difficiles.

La nature de l'amour humain

Je vois ici les yeux se mettre à briller et l'intelligence se réjouir à l'idée de connaître enfin la nature de l'amour et trouver réponse à des questions sur lesquelles tous les philosophes du monde se sont fait un devoir d'apporter leur réflexion personnelle. Calmez vos élans intellectuels, lecteurs curieux, et sentez votre cœur pour en entendre les battements. Ajoutez entre dix et vingt-six battements à la minute à votre rythme actuel et vous éprouverez une première sensation du phénomène amoureux.

Et si votre cœur bat encore plus vite, c'est que vous savez pour qui il bat. Tout le reste du mouvement amoureux est paradoxal : il est en même temps activité et passivité, union et désunion, esprit et chair, possession et liberté, désir et don, vérité et mensonge. Mais ce mouvement possède un prodigieux pouvoir d'unifier la personne qui aime, peut-être parce qu'il complète l'être dans ce qu'il recherche de plus profond : la complémentarité, le partage, le contraste, l'ouverture et quoi encore.

Quand le cœur balance

Dans la peine d'amour tout se pose en contraste avec l'état amoureux : le mouvement devient immobilité, l'ouverture, fermeture et tout se renverse dans un étonnant changement intérieur qui donne parfois le vertige et peut expliquer l'état de panique de la personne, surtout si elle subit la séparation plus qu'elle n'en est l'agent. La personne en peine d'amour se sent divisée, inconsistante et souvent déprimée; elle expérimente ici une « petite mort » car le sentiment de perte est alors dominant.

La plus généralisée des réactions affectives est la dépression : on doit non seulement faire le deuil du partenaire auquel on peut rester encore longtemps attaché, mais aussi le deuil de tout un cadre de vie structuré autour de cette relation privilégiée. C'est même souvent à ce moment que la personne réalise alors la force des liens qu'elle avait établis avec le ou la partenaire et le contexte de vie que cela a permis.

Seconde réaction généralisée : l'agressivité accompagnée de sentiments de rage et de haine ressentis ou exprimés envers l'ex-partenaire. Ces sentiments sont parfois si intenses que l'on est étonné de porter en soi une telle possibilité de haine. Les psychologues disent que ceux-ci contribuent justement à accélérer le détachement et sont souvent proportionnels à l'intensité de l'attachement précédent.

L'ambiguïté de même que des émotions mêlées caractérisent également cet état de séparation. On ressent un mélange d'agressivité et d'affection, de volonté de séparation et de désir de réconciliation; une crise de rage peut être suivie d'un désir irrésistible de rétablir le contact. Étrange parallèle avec le mouvement amoureux dont on parlait plus haut. Cet ambivalence des sentiments conduit à une impression de perdre le contrôle de sa vie ou de perdre la tête : on remet en question le passé, on imagine à nouveau le futur, on éprouve un soudain soulagement pour replonger dans une tristesse sans fin, amenant parfois le désespoir et son train d'idées suicidaires plus ou moins structurées.

C'est que l'amour, qui avait le pouvoir d'unifier notre vie, nous transforme soudain en un être éparpillé, déséquilibré remplaçant le lien d'union et de communion par une impression de déchirement et de solitude.

Les réactions possibles

Toutes les recherches sur la crise vécue lors d'une séparation amoureuse amènent des conclusions claires et convergentes :

- Chaque personne réagit de façon personnelle et unique. Vos réactions sont les bonnes et ne ressemblent guère à celles d'une autre;

- Plus d'un tiers des personnes subissant la rupture ont une impression parfois soutenue de perdre la tête ou de devenir folle en alternance avec des impressions de grande fragilité intérieure;

- Les sentiments les plus souvent vécus au paroxysme sont l'insécurité, la dévalorisation, l'humiliation, l'échec, l'injustice et la peur;

- L'état d'anxiété créé par la crise de rupture ne peut en aucun cas être considéré comme anormal.

La stratégie du lâcher prise

Le temps est le meilleur allié dans une peine d'amour. C'est l'agent thérapeutique par excellence, laissez-le faire son œuvre. Soyez patient comme un malade et confiant comme un convalescent puisque vous êtes l'un et l'autre. Qui plus est, vous êtes aussi votre propre médecin et, dans toute maladie, il y a des jours où le médecin ne peut qu'attendre. Ne vous bousculez pas trop; gardez-vous de tirer des conclusions hâtives à partir de ce qui se passe en vous. Laissez-vous faire tout simplement : perte d'appétit, perte de coordination, perte de concentration, cafard feront partie du quotidien pendant un certain temps. Il faut se retirer de la circulation, accepter d'être en panne, le temps que le moteur refroidisse.

Lâcher prise est la stratégie la plus efficace parce qu'en vivant un état sans but particulier, vous facilitez votre réhabilitation tout en évitant de nuire à ce processus naturel.

L'anxiété suscitée par la crise amènera, pour la majorité d'entre vous, à en parler... et à en parler encore et encore. Vous liquidez alors le surplus de tension causée par votre état et évitez ainsi parfois l'angoisse. Confiez-vous à des gens qui savent vous écouter sans trop vous juger. Vous avez en effet plus besoin de parler que de comprendre, de vous confier que d'établir des liens de causalité, ce qui augmenterait votre culpabilité ou celle de votre partenaire. Finalement, un chagrin d'amour est insupportable parce que, dans l'état où vous êtes, tout l'est.

Pour contrer le sentiment d'échec et l'impression d'avoir perdu votre énergie ou votre temps dans cette relation amoureuse, dites-vous bien que l'apprentissage affectif que vous y avez fait sera transférable à votre prochaine relation. Il faut de l'expérience pour construire un amour durable, apprendre le corps, le cœur, la sensibilité, l'intelligence de l'autre, pour découvrir ses fantasmes et les mettre en relation, les épouser en l'autre. C'est cela que vous venez d'apprendre un peu plus.

Lecture suggérée

Halpern, Howard M., *Adieu : Apprenez à rompre,* Éditions du Jour, 1983.

SAVOIR SANS SAVOIR : LA MORT

Anouk Beaudin

« La mort n'est pas seulement une destination vers laquelle les humains cheminent, mais elle est le secret de leur être. Elle est la finitude qui accompagne chacun de leurs gestes; ainsi meurent-ils aussi longtemps qu'ils séjournent sur la terre. » [1]

La négation

Quand on questionne la vie, on questionne la mort. Elles sont indissociables et représentent deux facettes d'une même réalité. La vie dans toute sa vérité contient la mort. Cela, souvent, on l'oublie. On ne conçoit que la première et l'autre nous rattrape un beau jour et nous emporte avec elle. En attendant, on s'efforce de ne pas y penser car la mort s'oppose fondamentalement à notre désir et a le pouvoir de réveiller en nous de terribles angoisses. Certes, on peut la reconnaître intellectuellement, mais inconsciemment nous avons dissocié de notre esprit la terreur qu'elle nous inspire.

Nous avons plusieurs façons de composer avec la mort et la peur qu'elle nous inspire. On l'ignore, la nie, la refoule, la minimise, en la considérant comme un simple passage ou encore on la perçoit comme anormale et elle devient alors une maladie que l'on cherche à combattre. Lorsqu'une personne meurt, nous nous demandons presque toujours de quoi cette personne est morte; qu'est-ce qui l'a tuée ? comme si la mort frappait toujours de l'extérieur. On la considère difficilement commme un phénomène naturel.

Pourtant, la mort est essentielle à la vie. En effet, la terre aurait vite fait de manquer de ressources si nous finissions tous par nous y installer définitivement. Nous devons partir, céder notre place. Notre mort contribue à la survie de l'espèce. Mais cette considération, je crois, ne nous console pas beaucoup ni ne rend notre mort plus acceptable car notre attachement à la vie est d'abord un attachement à nous-mêmes. C'est-à-dire à notre moi, que nous avons longuement façonné avec tant d'efforts et de souffrances et auquel nous sommes attachés.

Finitude et conscience

Si, d'une part, le fait de mourir assure la vie de l'humanité, d'autre part, l'idée de la mort peut intensifier la vie de l'homme. Vivre avec la pleine conscience que nous ne sommes pas éternels, non pas pour nous isoler dans l'angoisse et la tristesse, mais plutôt pour libérer l'énergie psychique qui sert à contenir l'idée et l'angoisse de la mort et amplifier notre sagesse. Ce que parfois nous appelons notre peur de mourir ne serait-il pas souvent une manifestation d'une crainte de vivre, de nous ancrer dans le présent pour ne pas avoir à affronter la fin d'un bon moment ou la perte d'un être que nous aurions aimé. Ne pas oser s'engager dans la vie, précisément à cause de la mort qui y est implicite. Certaines pertes anciennes ont été si douloureuses qu'on peut préférer, un certain temps, ne pas risquer de nouveau l'expérience de la séparation, du deuil. Mais, à long terme, en regrettant hier et en espérant beaucoup de demain, nous nous privons d'une présence à notre expérience immédiate, nous attendons de la vie autre chose que ce qu'elle est. Cette espérance risque de nous séparer d'un bonheur.

La mort des autres : le deuil

Une façon importante de toucher la mort dans sa plus grande proximité est d'être confronté à la mort d'autrui et plus particulièrement à la mort d'un proche. L'expérience de la perte, du deuil, lorsqu'elle est pleinement vécu, nous renvoie à notre propre vulnérabilité, notre propre finitude, à notre réalité. C'est une occasion privilégiée de ressentir une condition fondamentale de notre existence, à savoir qu'à notre tour, nous allons aussi mourir et que rien ni personne ne pourra l'empêcher. Qu'on n'a pas le pouvoir de durer, ni de faire durer ceux qu'on aime. Malheureusement, notre tendance à occulter la mort s'exprime aussi par le refus du travail du deuil et la simplification, la réduction et la perte de sens des rites funéraires. Souvent, le mort n'est même plus exposé ! L'absence du cadavre rend plus difficile l'entrée dans le deuil, qui de plus, est déjà écourté. Ce dernier semble même

134

devenu tabou. Les endeuillés se retiennent d'exprimer trop fort et trop longtemps leurs émotions et, de la mort, on parle le moins possible. De nos jours, la douleur semble souvent perçue négativement, alors elle reste muette et les larmes sont ravalées. Pourtant, la perte d'un être cher est extrêmement douloureuse et demande à être ressentie et assumée. C'est par le travail du deuil que nous admettons la réalité de la perte et que nous en ressentons toutes les significations. Ce travail nous permet de laisser place à notre tristesse, notre impuissance et notre frustration pour ensuite poser sur soi et sur la vie un regard plus complet, plus vrai. En redonnant à la mort la place qui lui revient et en valorisant l'expression de la douleur, nous ne pouvons que grandir et accroître notre sagesse.

> « La mort des gens qu'on aime, quand elle ne nous plonge pas dans le désespoir, nous donne une furieuse et très saine envie de vivre. » [2]

Références

1. Heidegger, Martin. *Qu'est-ce une chose ?* Gallimard, 1988.

2. Groulx, Benoîte. *Les trois quarts du temps*, Grasset, 1983.

LES ENDEUILLÉS PAR SUICIDE

Denis Houde

Nous ne pouvons rester insensibles lorsqu'un membre de notre entourage nous révèle que son fils, sa sœur, sa mère ou son conjoint s'est suicidé. Le choc, le malaise puis la sympathie se succèdent, avant d'ouvrir sur le quand, le où et le comment de la tragédie. Comment composer avec le malaise qui s'installe en nous ? Mais surtout, comment comprendre la souffrance de l'endeuillé par suicide et lui venir en aide ?

Les étapes du deuil et les réactions de l'endeuillé par suicide

L'endeuillé par suicide a sensiblement les mêmes réactions que d'autres endeuillés (accident, maladie). Cependant, les réactions sont amplifiées à cause du caractère violent de la mort. Le geste en apparence volontaire du suicide laisse planer un message ambigu aux survivants. Brièvement, rappelons les quatre grandes étapes du deuil et voyons d'autre part comment l'endeuillé par suicide peut les vivre.

1) Le *choc* est cette période tampon qui se produit au moment de l'annonce de la mort d'un proche. Nous ne réalisons pas encore ce que signifie le décès. Nous vivons dans un climat irréel et refusons de croire que l'être aimé n'est plus auprès de nous. Nous préférons penser que ce n'est qu'un mauvais rêve, que le lendemain matin, tout sera redevenu comme avant. Nous pleurons par réflexe, nous organisons les funérailles par réflexe, nous accueillons les gens au salon funéraire par réflexe. Nos émotions sont sur le pilote automatique. C'est le déni.

L'endeuillé par suicide refuse quant à lui l'idée même du suicide et tente de dénaturer les faits. Conscient des préjugés sociaux vis-à-vis du suicide, il se protège contre la stigmatisation et la honte. Il limite l'accès aux funérailles et ne veut pas ébruiter la nature du décès. L'endeuillé croit que personne ne peut l'aider et qu'il doit vivre seul avec ses propres émotions. Il doit se protéger du rejet et des reproches qu'il appréhende de la part des autres. Le déni est plus fort et dure plus longtemps que pour tout autre endeuillé.

2) La *protestation* est teintée de colère, d'agressivité, de honte, de culpabilité. Nous n'acceptons pas le décès et trouvons injuste de ne pas avoir eu le temps de nous réconcilier avec la personne disparue ou de lui dire combien nous l'aimions. Nous nous sentons impuissants, abandonnés, démunis, aigris de sa mort.

Le suicide laisse aux survivants un sentiment aigu d'abandon et de rejet qui éveille beaucoup de colère. L'ambivalence est à son comble. Confronté au tabou d'être en colère contre un mort, l'endeuillé par suicide a tendance très souvent à retourner la colère contre soi, à la nier, à réinventer les circonstances du décès afin d'occulter l'idée du suicide. Malgré toutes ses tentatives de s'évader de la réalité du suicide, l'endeuillé se sent envahi par cette réalité qu'il trouve lourde à porter. Il est à la fois tenté d'accuser la famille de n'avoir rien fait pour empêcher ce geste et de fuir les reproches de celle-ci. Ces reproches potentiels sont d'autant plus cinglants qu'il se les formule personnellement dans son jardin secret.

À l'étape de la protestation, l'endeuillé combat la honte qui l'envahit, cette honte associée à un mythe très solide et pernicieux : le suicide est un acte de lâcheté. Il ne perçoit pas que le suicide puisse être un manque de choix, de solutions à une souffrance devenue trop grande pour le suicidé.

3) La *désorganisation* est l'étape la plus percutante. Le désespoir, la dépression, l'impuissance, l'abandon et la culpabilité sont vécus à plein. Les « j'aurais donc dû », les « si j'avais su » deviennent insoutenables. L'endeuillé se retrouve soudainement en situation de crise, potentiellement suicidaire si le soutien est déficient et si la quête de sens à la mort du défunt et à la vie de l'endeuillé n'aboutissent pas. C'est une étape de repli sur soi, d'isolement intérieur et de souffrance profonde.

L'endeuillé par suicide est à la recherche d'une explication, d'un sens au suicide qui le torture cruellement. La valse des pourquoi devient telle que l'endeuillé tente par tous les moyens de reconstituer l'événement ou d'en éliminer carrément l'existence. Il remet en question ses valeurs fondamentales, devenues soudainement synonymes d'échec. La culpabilité est immense : il a l'impression de ne pas avoir été assez vigilant face aux signes, d'avoir été la raison du suicide.

L'endeuillé par suicide a des besoins énormes sur le plan affectif mais peu d'attentes face aux autres. Il perçoit de manière très aiguë l'absence de soutien social et n'a pas le réflexe de rechercher du soutien. Il s'éloigne des autres parce qu'il les sent impuissants face à sa douleur, parce que trop grande et incompréhensible, ou bien s'arrange pour éviter toute situation de reproche. La honte est souvent une émotion qui freine l'endeuillé par suicide à s'ouvrir.

4) Finalement, la réorganisation est cette étape où l'endeuillé redevient apte à composer avec les difficultés de la vie. Il peut s'investir à nouveau dans des loisirs, des relations et au travail. La quête de sens a fait son effet, la crise de désespoir a permis de découvrir un sens au décès et à la vie. Il se sent plus en paix avec la mort et la lourdeur de la perte a disparu. Cependant, il reste sensible aux pertes significatives.

L'endeuillé par suicide atteint cette étape lorsqu'il accepte finalement de ne pas avoir perçu avec assez d'acuité les signes précurseurs et qu'il comprend ce qu'est le geste suicidaire : c'est vouloir faire mourir cette vie de souffrance quand on a perdu tout espoir.

Le risque suicidaire chez l'endeuillé

L'endeuillé par suicide est à risque suicidaire très élevé. Il faut comprendre que la crise suicidaire se produit spécifiquement dans des moments de désorganisation et de dépression intense... lorsqu'on ne perçoit plus la lumière au bout du tunnel. L'endeuillé par suicide peut donc lui-même vivre une crise suicidaire puisque le suicide fait maintenant partie de sa vie et devient une option concrète pour éliminer la souffrance. De plus, le processus d'identification au suicidé constitue, pendant un certain temps, une façon de ne pas vivre la perte. En devenant comme l'autre, on n'a pas à affronter la séparation douloureuse. Cette identification peut alors prendre la forme d'un désir persistant d'aller rejoindre l'autre ou faire comme il a fait.

Il faut donc être attentif à toute manifestation d'un désir de mourir : l'isolement, la confusion, le changement d'humeur, la difficulté de se concentrer et, surtout, le silence.

Limites personnelles et les mythes personnels

Il faut savoir qu'à tout moment, une intervention, ne serait ce que souligner que sa détresse est visible, peut aider l'endeuillé à s'ouvrir et trouver de nouveaux moyens pour résoudre la crise. L'isolement est l'ennemi privé numéro un à toutes les étapes du deuil, et la présence, en parole comme en silence, est l'arme la plus efficace. Il est donc primordial de permettre à l'endeuillé de se conter, donc de l'accompagner, lui permettre de vivre à fond chacune des étapes du deuil.

Mais, pour ce faire, nous devons être conscients de nos limites et savoir jusqu'où nous sommes prêts à aider. Il ne faut jamais dépasser nos propres limites. Ce que vit l'endeuillé par suicide nous rejoint dans nos propres deuils, dans notre propre impuissance, dans nos propres souffrances. Nous avons tendance à encourager l'endeuillé, à dédramatiser et à imposer notre vision des choses, nos trucs, afin de soulager l'endeuillé de sa souffrance. Il faut avouer que, bien souvent, ce sont des façons de vouloir soulager notre propre inconfort.

Accompagner un endeuillé est un travail exigeant qu'il ne faut jamais entreprendre seul. Il faut éviter de tomber dans le piège le plus important qui nous guette : celui du sauveur. Il ne faut pas croire que nous pouvons seuls réussir à sauver l'endeuillé de son désespoir. Travailler en équipe, en collaboration, en réseau, avec un professionnel si nécessaire, s'avère la meilleure façon de ne pas tomber dans l'isolement de l'endeuillé.

Référence

Saint-Louis, Marc. *Guide d'aide à l'intervention. Ta vie j'm'en mêle !*, volume 3, Table de prévention du suicide de l'Université de Montréal, 1994.

LA COURSE
AUTOUR DE LA MONTRE

Marie-Andrée Linteau

Récemment, dans un journal de quartier, on traçait le portrait d'un homme d'affaires nouveau genre dirigeant trois entreprises, siégeant à de multiples conseils d'administration, tout en excellant dans plusieurs sports dont l'alpinisme. Il est engagé dans une vie amoureuse passionnante avec une superwoman et s'occupe également de son fils adoré. Comme il l'exprimait lui-même, il mène sa vie à la quatrième vitesse, toujours sur la voie de gauche, et qualifie les films de James Bond de fades en comparaison avec le rythme trépidant et excitant de sa vie ! Bien sûr, ce portrait est présenté comme un modèle à suivre, symbolisant la réussite sociale et professionnelle. On ne peut que se sentir minable face à un tel héros.

Ce qui semble plus inquiétant cependant, c'est que ce modèle est endossé par beaucoup de personnes. Est-ce la nouvelle définition de la santé mentale ? À entendre le désespoir qui se cache derrière une telle quête de réussite, à constater l'ampleur des troubles psychosomatiques (il n'est pas rare de faire une crise cardiaque à 40 ans !), à évaluer des situations réelles de burnout chez les étudiants et travailleurs, on ne peut que questionner l'impact de tels modèles de réussite sur les difficultés psychologiques actuelles.

Si nous devions nommer l'ensemble de ces difficultés, nous pourrions parler d'absence de limites extérieures et intérieures. En effet, depuis le début du siècle dernier, la notion de progrès indéfini sous-tend l'ensemble des croyances et des choix politiques, économiques et sociaux du monde occidental. La course aux armements, le gigantisme des projets scientifiques, l'envahissement de la vie privée par les moyens de communication de masse en sont des exemples. Mais on commence à se rendre compte des conséquences désastreuses d'un tel mouvement d'expansion et d'accélération : les désastres écologiques, la montée des maladies cardio-vasculaires, l'incidence marquée de la dépression et du suicide.

L'ivresse de l'hyperactivité

Sans être la cause directe et unique des problèmes psychologiques actuels, cette idée de progrès indéfini se transpose dans les ambitions de bien des gens. On a le sentiment qu'il faut exploiter au maximum tous ses talents, il faut accomplir un tas de choses pour se sentir quelqu'un dans la vie, il faut utiliser efficacement tout le temps qu'on a, il faut assouvir tous ses désirs, immédiatement et totalement, bref, il faut vivre sa vie pleinement et il faut la vivre vite. Au point où la personne qui ne court pas et semble s'en contenter, paraît suspecte et mal adaptée aux yeux des autres. On a peur de ralentir ou de s'arrêter car on risquerait alors de ressentir beaucoup d'angoisse. Mais de toute façon, cette course effrénée contre le temps est nécessairement vouée à l'échec; elle ne pourra jamais répondre à ce que l'on cherche; c'est un peu comme si l'on désirait remplir frénétiquement un contenant dont le fond est percé. Peut-être faudrait-il prendre le temps de regarder ce fond percé; quel est le manque, quelle est la blessure, quelle est la quête véritable ?

Et pourquoi s'arrêter de courir puisque tout opère si bien ? Quand on roule à cent milles à l'heure, on sent une sorte d'euphorie, d'ivresse fort agréable. Il n'y a aucune raison logique de s'arrêter sinon de sentir que tranquillement on se prépare un burnout insidieux, des problèmes d'insomnie, des migraines, des ulcères d'estomac. Seul notre corps peut nous donner des indices tangibles, réels d'un malaise intérieur. Encore faut-il l'écouter. D'ailleurs, c'est souvent quand ils craquent physiquement que les gens hyperactifs viennent consulter : grippes à répétition, maux d'estomac, anxiété si forte qu'ils perdent toute leur concentration. Parfois, c'est une peine d'amour ou la maladie d'un proche qui les met en contact avec une grande tristesse, un désarroi profond. Il semble que nous, les humains, ayons ceci de particulier que nous ne nous arrêtons que lorsque ça fait trop mal; alors nous nous questionnons et réévaluons nos façons de vivre et de répondre à nos besoins.

À la rescousse du vide

Dans la revue *Psychology today*, Bruce Rathaway parle de la *compulsion* des coureurs à aller constamment au-delà de leurs limites au point d'ignorer totalement la douleur physique et de risquer de très graves blessures. Ce n'est pas tant la reconnaissance, la célébrité qui est recherchée mais l'effort pour lui-même, l'activité pour l'activité.

La course, comme bien d'autres phénomènes, peut devenir une assuétude, c'est-à-dire une sorte de dépendance malsaine : manger, travailler, acheter des choses, voir des gens, faire l'amour, étudier, aider les autres et même parfois, de façon ironique, faire des exercices de relaxation. En soi, toutes ces activités sont saines et peuvent être « nourrissantes ». Elles deviennent nuisibles lorsqu'elles acquièrent cette connotation d'indispensable, d'irremplaçable, lorsqu'elles mobilisent toute notre attention et deviennent notre unique préoccupation ou sujet de conversation, bref lorsqu'elles servent à combler un grand vide, à masquer une difficulté à vivre avec soi.

Vivre avec soi, c'est d'abord se mettre à sentir. On confond souvent le sentiment d'être en vie avec le fait de ressentir des émotions fortes : ce type d'intensité tant recherché reflète plutôt une impression de mort intérieure. La vie est bien ailleurs, elle se manifeste dans des choses plus simples, voire anodines : un beau coucher de soleil, un regard tendre, un sourire... Lorsqu'on commence à porter attention à notre corps, c'est souvent la douleur qu'on ressent en premier, la tension, les courbatures, la carapace de certaines parties blindées du corps; de même si l'on prend le temps d'écouter, de s'arrêter à l'intérieur de soi, on se rend compte bien souvent d'une grande vulnérabilité, de la présence de sentiments parfois pénibles qu'on a voulu « tasser dans le coin », comme la tristesse, la peur, la colère, la déception, la solitude, l'impuissance.

145

Nous arrêter permettra peut-être alors de refaire le contact avec une grande partie de nous-mêmes que nous avons ignorée parce qu'inacceptable à nos yeux ou à ceux des autres; de mieux connaître nos besoins réels, besoins de sécurité, d'amour, de signification, d'interdépendance et alors de commencer à y répondre pour ainsi nous abandonner à notre plaisir de vivre, de goûter notre vie au lieu de la brûler.

Références

Hathaway, Bruce. *Running to ruin, Psychology today*, juillet 1984, p. 14-15.

Lectures proposées

Bombardier, Denise et Saint-Laurent, Claude. *Le Mal de l'âme*, Robert Laffont, 1989.

Peck, Scott. *Le Chemin le moins fréquenté*, Éditions Robert Laffont, 1987.

Pelletier, Denis. *Ces îles en nous*, Québec/Amérique, 1987.

QUAND L'ÉQUILIBRE
EST ROMPU

LES ÉTATS
DE CRISE PSYCHOLOGIQUE

André Binette

« L'étendue d'eau calme d'un grand lac profond reflétant le soleil couchant entre les hauts pins déjà endormis de ses rives » n'évoque en rien la présence d'un état s'apparentant au titre de cet article. Ceci serait plus évocateur : « une mer en furie sous la provocation d'un ciel déchaîné par un ouragan hors de contrôle ». Il en est pourtant des états de crise comme de la vie elle-même: la seconde image porte la promesse de la première et vice-versa.

Notre existence est marquée par la loi de la dualité : la vie s'écoule d'état de paix en état de crise et d'état de crise en état de calme. L'un donnera à l'autre la signification de son déroulement. Les deux ensemble formeront un tableau conforme à une certaine compréhension de la vie, comme du passage permanent d'un état d'équilibre à un état de déséquilibre et vice-versa. Mais quand arrive un état de déséquilibre carrément plus paniquant, on parle de crise et on se réfère alors à quelque chose qui dépasse le quotidien de nos variations intérieures.

Un peu de théorie

Les psychologues conçoivent l'état de crise psychologique comme un état de déséquilibre dans la vie d'un système *affectif*. Ces déséquilibres peuvent être la résultante d'un choc extérieur assez important pour créer un traumatisme à effets passagers ou durables. Pensons, à titre d'exemple, à la mort d'une personne chère, à une maladie importante, à un vol, à une blessure physique ou à certaines ruptures amoureuses. Chaque fois, le gros de la crise dure de quatre à six semaines. Dans ces cas, après l'état d'alarme initial (où l'émotion très intense va jusqu'à créer parfois l'impression de « perdre la tête ») s'ensuit une période d'agitation jusqu'à ce que les mécanismes d'adaptation usuels rétablissent un état de contrôle relatif.

Ces déséquilibres peuvent aussi être provoqués par un événement de la vie courante, événement qui vient remettre en question une situation qui jusqu'alors fonctionnait relativement bien. Qu'on pense à un échec scolaire qui bouscule le choix de carrière, à un déménagement malchanceux qui affecte par exemple le sommeil, à une évaluation de stage qui remet en question un avenir professionnel ou même à un état de malaise intérieur qui perturbe l'équilibre émotif.

Alors que les premiers états dits traumatiques sont absorbés graduellement par le système affectif d'une personne, ces seconds états de crise qu'on pourrait appeler « existentiels » sont résorbés quand une décision est prise soit après un certain processus logique de solution du problème, soit après une réadaptation de l'organisme au déséquilibre de la situation.

Un peu de philosophie

Dans la langue chinoise, « crise » est nommée par un nom composé, *We Chai : We* signifiant danger et *Chai,* opportunité. On illustre ainsi dans toute sa symbolique la dualité existentielle de l'expérience de crise, soit à la fois un aspect de perturbation souvent dysfonctionnelle (We) et un aspect de changement vers un mieux-être (Chai). La crise met le système affectif en état d'alerte et l'anxiété augmente alors à un niveau évalué comme inacceptable par la personne. Ce baromètre de l'état de déséquilibre interne est comme la fièvre pour l'état physique. On doit s'en occuper pour éviter une surdose, mais ne pas l'enrayer trop rapidement car elle offre l'occasion, parfois privilégiée, de changer nos vieux mécanismes d'adaptation en facilitant l'ouverture à des solutions nouvelles et plus efficaces.

L'anxiété : une alliée

Donc deux types de crise : traumatique et existentielle; une composante unique : l'anxiété. Si vous faites face à une crise du premier type, l'essentiel est de vous mettre en état de convalescence.

Toutes les questions qui vous assailliront (si vous êtes du type logique), toutes les émotions qui vous bouleverseront (si vous êtes du type émotif), tous les maux de ventre ou migraines qui vous étreindront (si vous êtes plus physique) sont des réactions de liquidation du traumatisme qui vous a frappé. Le système affectif se soigne en quelque sorte de son angoisse. Cet état de convalescence doit avoir un sens : prendre soin de soi, accepter ses régressions (parfois très infantiles), remettre à demain ce que l'on doit faire aujourd'hui, perdre son temps, etc. Tout le contraire de votre fonctionnement en état de normalité, quoi !

Dans ce cas-ci, vous serez peut-être porté à croire qu'il n'est pas normal d'être aussi déséquilibré par le choc qui vous arrive. Pourtant, tous les spécialistes de la question vous diront que la première condition pour s'en remettre est d'accepter cette perturbation comme une manifestation saine d'un organisme vivant subissant un tel choc.

L'attitude que vous prenez face à vos réactions conditionnera fortement votre souffrance intérieure. La réalité est en grande partie définie par ce sur quoi vous portez votre attention. Regardez-vous comme un être qui souffre et qui se soigne et vous donnerez du coup une importante médication mentale à votre organisme pour lui permettre de récupérer.

Si vous faites face à une crise dite « existentielle », l'anxiété que vous vivez vous fera réviser, parfois considérablement, vos choix, vos valeurs, vos orientations de vie. Vous pouvez en profiter pour éliminer de votre vie des fardeaux inutiles (tâches, relations, situations) ou pour réorienter vos actions vers des choix plus significatifs, c'est-à-dire qui reflètent davantage votre personnalité propre. Il est fort bénéfique de croire que le coup dur que vous venez de recevoir soit porteur d'un message de réajustement de votre cible antérieure.

Communiquer pour exorciser les fantômes

Prenez conseil, parlez de vous, de vos préoccupations, de vos peurs, de vos désirs. Un mécanisme naturel que le cerveau humain utilise souvent pour liquider le surplus d'anxiété du système affectif est la communication verbale. Comme si, en parlant et en reparlant sans cesse, on exorcisait nos fantômes angoissants. Il peut être bon, à l'occasion, de demander conseil à des personnes ressources (consultants, famille) qui pourront faciliter le processus de solution du problème que vous avez à effectuer.

L'obstacle le plus courant dans ce type de crise est la culpabilité. Faites attention alors à ne pas devenir victime dans votre propre système judiciaire. Vous ne pouvez en même temps être juge et partie, accusé et procureur. Ce genre de dualité confine la sensibilité dans une impuissance douloureuse et finalement peu rentable. Pour éviter ce piège, acceptez plutôt l'échec temporaire de votre cheminement et soumettez-vous à l'apprentissage proposé par le biais de l'obstacle que vous avez rencontré. Vous préviendrez ainsi l'humiliation de la défaite pour convertir la tension que vous apporte la crise en effort de réflexion positive.

LES ÉVÉNEMENTS CATASTROPHIQUES : CRISE EXTÉRIEURE OU CRISE INTÉRIEURE

Marie-Andrée Linteau

« L'homme est incapable d'affronter des événements catastrophiques et de leur survivre, s'il est privé d'un sentiment que quelqu'un s'intéresse à lui. » Cette citation de Bruno Bettleheim décrit bien l'importance de la sécurité intérieure, de ce sentiment que l'on compte vraiment pour quelqu'un, et par extension de l'importance de la solidarité humaine lorsque survient une crise ou un événement catastrophique.

Tous les jours, nous entendons parler de désastres écologiques, de catastrophes naturelles, ou d'actes de violence individuels ou collectifs. Nous aimerions présenter ici quelques réflexions personnelles sur la notion de traumatisme et les enjeux psychologiques de tels événements, à la lumière de la pensée de Bettleheim. Ce psychanalyste européen a beaucoup réfléchi, à partir de son expérience des camps de concentration, sur le phénomène de la survivance à des situations extrêmes de stress.

La quête de sens

Quand tout se déroule bien dans notre existence, on ne se pose pas beaucoup de questions sur le sens de la vie, sa finalité. Mais en période de détresse, on tente de donner un sens à l'expérience subie soit par nous, soit par les autres. Si la souffrance apparaît significative, alors on accepte la détresse. Nous avons, comme humains, la capacité de supporter beaucoup de douleur physique ou morale, si nous sommes assurés que l'expérience prendra fin, qu'on y survivra, que la situation est réversible. Seule la mort est absolue, irréversible, définitive; c'est pourquoi elle suscite une angoisse qui dépasse de beaucoup toutes les autres formes d'angoisse.

L'homme a essayé de composer avec cette réalité, soit en niant la mort, soit en s'y résignant ou en tentant de trouver un sens à la finitude de la vie. Les religions et la science ont tour à tour cherché à nier la mort, à en reculer l'échéance ou du moins à en adoucir les effets.

Nous avons besoin pour vivre d'une certaine dose d'illusions; nous avons besoin de croire que nos structures sociales nous protègent de la réalité de la mort en assurant le bien-être physique et psychologique des individus. Sur le plan intérieur, nous avons également besoin de nous protéger de l'angoisse de mort qui, pour beaucoup, prend la forme de l'angoisse de séparation ou la peur de l'abandon.

La catastrophe n'est pas que dehors

Les premières expériences de vie, si tout se passe bien à l'extérieur et dans la relation avec la mère (ou son substitut), procurent généralement au bébé une sécurité intérieure suffisante : le monde extérieur est perçu comme accueillant, il y trouve réponse à ses besoins; malgré les frustrations inévitables, il a le sentiment d'être compris et important pour ses parents, il a des repères adéquats qui rendent la vie prévisible et sécurisante. Il peut, au cours de son développement, mettre en place des défenses adaptées et souples contre l'angoisse et ainsi faire face aux imprévus et au stress de la vie.

Si, par contre, les premières expériences de vie sont plus difficiles, que les parents sont inconsistants, absents physiquement ou psychologiquement, trop anxieux, violents ou que les circonstances extérieures viennent perturber le développement, comme des maladies, un décès, des conditions physiques très difficiles, l'individu devra alors mettre en place des défenses massives pour contrer des expériences internes de terreur, de vide, d'annihilation; ces défenses seront d'autant plus précaires qu'elles seront rigides.

Lorsqu'un stress intense survient plus tard dans la vie de l'individu, que les structures sociales n'offrent plus la sécurité habituelle et que les défenses psychologiques s'effondrent, l'individu est débordé par des angoisses de mort; il y a alors traumatisme.

Un traumatisme peut être causé par la perte réelle ou imaginaire d'un objet (personne ou situation qui représente une sécurité intérieure). Mais un événement extérieur dramatique porte en lui la potentialité de réveiller en écho, comme un jeu de domino, les traumatismes antérieurs non intégrés, non digérés si l'on peut dire.

On peut alors comprendre que des événements comme une inondation, un tremblement de terre, un hold-up, une tempête de pluie verglaçante aient sur les gens des effets très variés; tout dépend de l'histoire personnelle de chacun et de l'intégration de leurs expériences « traumatiques » à ce moment-là de leur vie.

Quand la sécurité extérieure est menacée, l'individu doit, pour survivre, être capable de se rabattre sur une « bonne mère intérieure présente » lui permettant ainsi d'utiliser ses ressources pour faire face concrètement à la situation pénible. Dans bien des cas, on réalise après coup comment un événement catastrophique nous a donné accès à une créativité tout à fait insoupçonnée et une débrouillardise exceptionnelle.

Un autre élément essentiel à la survie dans une expérience traumatique est celui du soutien social et de l'entraide. L'être humain peut faire face aux pires catastrophes s'il est entouré, encouragé, s'il est convaincu de compter pour les autres. C'est l'antidote le plus puissant à l'angoisse de mort générée par une telle expérience désorganisatrice. Bettleheim, par exemple, rapportait que les prisonniers dans les camps de concentration pouvaient endurer très longtemps des souffrances physiques intenses mais qu'ils se laissaient mourir à la minute où on leur annonçait que leur famille les croyaient morts et avaient cessé leurs recherches.

La crise est-elle finie ou non ?

Il y a trois réactions possibles au traumatisme : nier que l'événement ait eu des conséquences réelles, se laisser détruire et se désorganiser ou rester conscient et tenter d'intégrer l'expérience. Quand l'état d'urgence est passé, que l'on nettoie, reconstruit la ville, le pays, que la vie reprend son cours, on demeure fragile. Il y a autant de travail à faire dans notre monde intérieur que dans la réalité concrète.

Essayer de comprendre ses propres réactions et celles des autres, d'en faire du sens à la lumière de son histoire personnelle, mettre des mots pour retrouver un sens de maîtrise de soi, laisser aux blessures le temps de se cicatriser sont autant de moyens de se reconstruire et de retrouver la sécurité intérieure.

DU CHOC CULTUREL À L'INTÉGRATION

Sonja Susnjar

Entreprendre des études universitaires, quitter les régions pour venir s'installer dans la grande ville, commencer un nouvel emploi sont autant d'expériences dans la vie de tout le monde qui ressemblent à celle de changer de pays. Dans tous ces cas, l'individu quitte un milieu familier et connu pour se plonger dans un contexte nouveau, inconnu avec tout ce que cela comporte de possibilités de croissance et de risques d'échec. Il y aura inévitablement une période d'adaptation, le temps d'apprendre « les règles du jeu » et de s'intégrer, période au cours de laquelle la personne vivra du plaisir et de l'excitation face au nouveau défi mais aussi de l'anxiété, du stress et peut-être une efficacité moindre.

Pour des personnes qui changent de pays, que ce soient des étudiants étrangers, des coopérants, des immigrants, des hommes et des femmes d'affaires ou de simples voyageurs, ces mêmes difficultés sont amplifiées puisque les différences entre le milieu d'origine et le nouveau milieu sont encore plus grandes. Sauf de rares exceptions, ces individus vivront un choc culturel. Cette notion de choc culturel fait référence aussi bien à des réactions de stress, d'anxiété, de tension nerveuse qu'à des sentiments de tristesse, de confusion, de surprise, de dégoût, d'indignation, de rejet et d'impuissance que vit l'individu face à la société d'accueil.

Le phénomène du «choc culturel»

La réaction à une nouvelle culture est un choc, en partie à cause des changements massifs et inattendus dans la vie de l'individu, véritable « bombardement » de nouveautés, et en partie parce que les différences remettent en question ses propres valeurs culturelles. L'anthropologue K. Oberg, qui a été le premier à utiliser l'expression « choc culturel » pour définir ce phénomène, explique : « Le choc culturel survient à cause de l'anxiété provoquée par la perte de toutes nos références et de tous nos symboles familiers dans l'interaction sociale. Ceux-ci incluent les mille et une façons que nous avons de nous situer face aux circonstances de la vie : quand donner la main et quoi dire lorsqu'on rencontre des gens, quand et comment donner des pourboires [...], comment faire des achats, quand accepter ou refuser les invitations, quand prendre ce que disent les gens au sérieux ou non. Ces références et symboles qui peuvent être des mots, des gestes, des expressions faciales, des coutumes ou des normes, sont acquis au cours de notre éducation et font partie de notre culture autant que notre langue ou les croyances auxquelles nous souscrivons. Nous dépendons tous pour notre paix intérieure et notre efficacité de ces centaines de signaux, dont nous ne sommes pas conscients pour la plupart. »

Les recherches tendent à démontrer que les individus les plus conscients de la relativité des valeurs culturelles, les mieux informés des différences culturelles et les plus empathiques vivent plus intensément le choc culturel. Par contre, s'ils réussissent à s'adapter, ils seront mieux intégrés à la culture d'accueil. D'ailleurs, environ 30 % de ceux qui séjournent dans un autre pays doivent abandonner leur projet par incapacité de s'adapter.

Les phases d'adaptation

L'acclimatation des personnes qui changent de culture a lieu généralement en trois phases : une première phase d'enthousiasme, de plaisir, d'excitation, voire d'euphorie face à la nouvelle culture, d'une durée approximative de deux à trois mois, suivie d'une période prolongée de réactions dues au choc culturel, qui peut durer entre trois et dix-huit mois environ. Cela se termine par une période d'adaptation où le nouveau devient l'habituel et ou l'individu devient d'une part, moins stressé, anxieux et triste et d'autre part, plus efficace.

Il n'y a pas de solution magique au choc culturel : déjà le fait de savoir que ce que nous vivons est, bien que déplaisant, tout à fait normal pour les circonstances et de pouvoir y mettre un nom est soulageant. Le temps et le contact prolongé avec la nouvelle culture sont les meilleurs remèdes; il faut résister à la tentation de se retirer et de couper tout contact difficile avec la nouvelle culture. C'est ce contact stressant qui va nous permettre de nous adapter progressivement et d'être plus confortable. En même temps, il faut avoir des attentes moins élevées face à soi-même et doser le stress par des périodes de repos et par un soutien social. Le groupe des compatriotes joue alors un rôle primordial. Parallèlement, il est très important de se faire des amis de la culture d'accueil. Toutes les recherches démontrent que, par exemple, les étudiants étrangers qui se sont fait un ami de la culture d'accueil retournent dans leur pays avec davantage de connaissances sur celle-ci et beaucoup plus satisfaits de leur séjour. Par contre, les individus qui ont été exclus ou qui ne se sont pas fait d'amis du pays hôte rentrent chez eux insatisfaits, avec une impression négative de la société d'accueil. En général, les étudiants étrangers soulèvent l'isolement et la difficulté de se faire des amis du pays d'accueil comme étant parmi leurs difficultés principales.

On doit se méfier d'une adaptation trop rapide

Bien sûr, lorsque nous parlons de choc culturel, il est question d'une première adaptation. Pour ceux qui prolongent leur séjour au-delà de deux ou trois ans et pour les immigrants qui changent de pays de façon permanente, le processus d'adaptation continuera pour toute la période de leur séjour ou pour toute leur vie, un peu comme on apprend à se connaître soi-même pendant toute notre vie. Changer de culture, en acquérir une autre, se forger une nouvelle identité culturelle à partir des cultures dans lesquelles on a vécu sont des processus extrêmement lents. La culture n'est pas un manteau qui se met et s'enlève selon le goût et les besoins du moment. Elle fait partie intégrante de notre identité même. Selon les recherches, des éléments de la culture d'origine persistent au-delà de trois à six générations après l'immigration. Pour forger une identité culturelle viable, l'immigrant doit comparer et contraster les valeurs de sa culture d'origine avec celles de la nouvelle culture et en faire une intégration personnelle.

On doit se méfier d'une adaptation trop rapide et trop facile. Si l'individu a rejeté en bloc les valeurs de sa culture d'origine afin d' « avaler » toutes entières les valeurs de la culture d'accueil, il risque, si le travail d'intégration ne se fait pas, de vivre des difficultés émotives plus tard dans sa vie. Si on ne fait pas le lien avec les générations qui nous précèdent, on aura de la difficulté à faire le lien avec nos enfants. Les membres de la société d'accueil doivent prendre conscience qu'il est *impossible* pour les immigrants de changer de culture en quelques années et que ce n'est *pas souhaitable* ni pour l'individu ni pour la société.

L'importance du va-et-vient entre les deux cultures

D'ailleurs, dans le processus d'adaptation à une nouvelle culture, l'individu doit régulièrement faire un va-et-vient entre les membres de sa culture d'origine et ceux du pays d'accueil. Cela permet de se former une identité intégrée à partir des deux cultures d'une part, et d'absorber le choc culturel et de soutenir l'individu dans ses explorations de la nouvelle culture d'autre part. Tout comme un jeune enfant a besoin de la présence de sa mère pour mieux explorer un nouvel environnement, l'immigrant a besoin des membres de sa culture d'origine pour mieux s'intégrer.

Le contact des cultures est inévitablement stressant mais, à la longue, il amène un enrichissement mutuel et, paradoxalement, permet de mieux identifier, connaître et valoriser les éléments de sa propre culture.

Références et lectures proposées

Cane, Lillian. *Minorités ethniques et psychothérapie*, Atelier donné dans le cadre du Congrès de la Corporation professionnelle des psychologues du Québec, mai 1988.

Furnham, Adrian et Bochner, Stephen. *Culture Shock : Psychological Reactions to Unfamiliar Environments*, Londres et New York, Methuen, 1986.

Oberg, K. « Cultural shock : adjustment to new cultural environments », *Practical Anthropology*, 1960.

Tchoryk-Pelletier, Peggy. *L'adaptation des minorités ethniques*, Étude réalisée au Cégep Saint-Laurent, Ville Saint-Laurent, document #1532-0236, 1989.

LES LANGAGES
DE L'INCONSCIENT

NOS MÉCANISMES DE DÉFENSE

Marie-Claude Lavallée

Le terme « défense » évoque l'idée de protection face à une situation menaçante. On peut penser spontanément aux conflits internationaux qui nécessitent la mise en place de stratégies défensives. Mais, à l'intérieur de soi, quel territoire doit-on défendre ? En fait, on protège ce qu'il y a de plus précieux en soi : le sentiment d'intégrité, l'estime de soi, l'image positive des êtres qui nous sont chers. Il arrive toutefois que le système de défense devienne lourd à porter : ce qui devait au départ être un instrument de protection devient un peu une prison qui nous enferme dans un fonctionnement répétitif. On entend d'ailleurs souvent des expressions évoquant cette idée de carapace ou de façade pour exprimer le sentiment qu'ont parfois les gens d'être coupés d'eux-mêmes ou privés de relations interpersonnelles satisfaisantes. Vous êtes-vous déjà ainsi senti poussé à poser des gestes impulsifs dans lesquels vous ne pouviez plus vous reconnaître par la suite ? Vous arrive-t-il de réagir avec excès à une situation relativement simple lorsqu'elle est vue d'un œil objectif ? Avez-vous parfois l'impression que vos relations tendent à se ressembler ou à se terminer de façon insatisfaisante ?...

De bouclier à forteresse

Chaque personne a un mode de défense qui lui est propre et qui fait partie intégrante de son style de personnalité. C'est un processus qui agit de façon automatique et inconsciente, en vue de dégager l'individu d'un état de tension interne. Les mécanismes de défense agissent un peu comme un bouclier permettant à l'individu de se préparer à affronter des situations difficiles et d'écarter certains stimuli susceptibles de provoquer en lui un débordement.

Les manœuvres défensives se mettent en branle lorsqu'un événement, une idée ou une émotion dans le présent viennent éveiller des situations passées oubliées et menacent de rouvrir de vieilles blessures. De telles blessures, chacun en porte en soi. On peut penser par exemple à tous les besoins ou désirs d'enfants restés inassouvis, aux nombreuses séparations et pertes qui n'ont pu être assumées, aux conflits internes restés en suspens. Plus nombreuses ou profondes sont ces plaies et plus l'armure défensive doit être rigide pour les maintenir à distance. De bouclier pouvant être levé ou abaissé aisément pour permettre une liberté d'action, le système de défense risque alors de devenir forteresse. En fait, la souplesse des mécanismes de défense s'évalue à l'importance de l'élément déclencheur : alors qu'il est pertinent de réagir à une situation menaçante par l'attaque ou l'évitement, une même réaction devient moins appropriée quand le stimulus présente peu de dangers réels. C'est un peu comme de revêtir une cuirasse avec casque et épée... pour affronter une araignée ! Ce n'est donc pas tant la situation actuelle en elle-même qui éveille tant d'émoi mais plutôt ce qu'elle évoque en soi.

Un obstacle dans le rapport à soi et aux autres

L'emploi de mesures défensives, quelles qu'elles soient, entraîne nécessairement une perte dans la connaissance de certains aspects de soi ou du monde extérieur. En réponse à un débordement émotionnel, l'évanouissement représente d'ailleurs l'ultime réaction et permet de comprendre le fonctionnement des manœuvres défensives : il s'agit là d'éteindre toute perception de manière à ne plus voir, ne plus entendre, ne plus sentir. Le plus souvent, les défenses agissent de façon plus circonscrite. Parfois, ce sont les réponses émotionnelles qui sont esquivées, qu'il s'agisse d'émotions dites négatives comme la colère, l'envie, l'humiliation, la culpabilité, le sentiment de vide intérieur ou parfois même des élans positifs comme le plaisir ou l'attraction. Sont également mises au rancart certaines idées qui amèneraient l'individu à se sentir trop incorrect s'il se permettait de penser, par exemple, à l'envie destructrice qui le saisit devant la réussite d'un ami. Les souvenirs sont aussi parfois relégués aux oubliettes lorsqu'ils ont le pouvoir de rappeler des moments douloureux de manque ou de trop-plein. Il arrive en outre que les défenses agissent sur la perception de la réalité extérieure. C'est le cas notamment lorsque nous interprétons mal un événement ou un geste d'un membre de l'entourage.

De ces pertes de connaissance, résulte le maintien de certaines illusions sur soi ou sur le monde extérieur qui ne permettent pas toujours de s'ajuster aux contraintes de la réalité. À force d'être blindé contre ce qui pourrait le toucher, l'individu se voit également limité dans ses possibilités de ressentir. Il se prive de réponses spontanées et authentiques aux situations quotidiennes. Certaines personnes ont ainsi un si grand besoin de préserver une image positive aux yeux des autres, qu'elles ne se demandent plus si elles sont bien dans leur façon d'être. Quand l'armure se fait trop lourde, le fonctionnement risque aussi de devenir mécanique et répétitif : ce sont souvent les mêmes thèmes et les mêmes peurs qui reviennent, la même façon de voir le monde extérieur et d'entrer en relation. En conséquence, la communication interpersonnelle est souvent brouillée.

Des exemples qui parlent d'eux-mêmes

Les exemples sont très nombreux pour illustrer la diversité des mécanismes de défense que nous utilisons tous à un moment ou à un autre. Une même situation, un conflit avec une personne d'autorité par exemple, appelle diverses réactions en fonction du mode de défense de chacun. Nous pouvons penser à l'employé qui se soumet à l'attitude autoritaire d'un patron pour ensuite déplacer sa colère en la déversant sur le premier venu. Ici, ce n'est pas tant la colère qui est esquivée mais plutôt le rapport conflictuel à l'autorité ou encore la difficulté à régler des conflits avec les personnes concernées. Certains auraient plutôt tendance à réagir en devenant très rationnels pour éviter de sentir leurs émotions. Ces personnes sont expertes dans l'art d'expliquer le point de vue des différents protagonistes au détriment du contact avec leur propres réactions affectives. Plutôt que de prendre le risque de montrer leur colère ou leur insécurité, d'autres peuvent devenir extrêmement polis et aimables dans une même situation. Ces personnes se sentent souvent poussées à *exagérer l'attitude inverse* de ce qu'elles ressentent : plus elles sont fâchées et plus elles deviennent gentilles, plus elles ont besoin de plaire et plus elles se montrent modestes, ce qui les laissent souvent avec un arrière-goût de malaise et de frustration. Devant un conflit, d'autres sont amenés immédiatement à se demander « à qui la faute ? ». Ceux-ci ont en effet besoin de trancher leur vision du monde et d'eux-mêmes en *bon* et en *mauvais*, ce qui laisse peu de place pour l'ambivalence. Il en découle des relations où l'autre est idéalisé ou détesté, et il arrive fréquemment que cela bascule d'un pôle à l'autre au moindre conflit. Par ailleurs, certains pourraient imaginer que c'est seulement l'autre qui est en colère, et de là se faire tout un scénario sur ce qui est perçu désormais comme n'appartenant qu'à l'autre. C'est là un exemple de projection qui amène l'individu à voir à l'extérieur de lui les idées, émotions ou impulsions qu'il ne souhaite pas reconnaître en lui-même. D'autres encore pourraient faire tout simplement comme si la situation conflictuelle était inexistante. Il en est ainsi, chez certaines personnes, de la propension à sous-estimer les échéances et à fonctionner comme si tout était maîtrisé, alors que survient la panique au moment où la confrontation avec la réalité devient inévitable. Une autre façon de contourner le conflit pourrait être de se mettre à *poser des gestes concrets* pour éviter de penser à ce qui est dérangeant. Manger pour ne pas sentir la frustration, noyer sa peine dans l'alcool ou dans les drogues, se dépenser dans le travail, les sports ou les sorties sociales de façon excessive, sont tous des exemples de conduites qui peuvent revêtir une valeur défensive.

Quelques pistes d'exploration

Bien qu'elles soient parfois démesurées par rapport à la réalité, les manœuvres défensives ne sont jamais superflues en regard des conflits qu'elles sous-tendent. Plus l'armure est imposante et plus on peut penser en effet qu'elle recouvre une zone de fragilité importante. S'autoriser à le reconnaître, c'est déjà faire un premier pas vers le changement. À partir de là, il devient possible de prendre conscience du caractère automatique de certaines réactions et ainsi de développer un regard critique sur soi. Même si le processus de défense est largement inconscient, il laisse un certain nombre de traces qui trahissent son passage et qui peuvent s'avérer utiles dans un travail de prise de conscience. On n'a qu'à penser aux sentiments résiduels désagréables ou au malaise diffus qui subsiste à la suite de situations en apparence peu conflictuelles. Certains lapsus ou actes manqués, comme par exemple des retards répétés, les idées obsessionnelles qui reviennent de façon lancinante, certains thèmes manifestes dans les rêves ou dans les fantasmes, sont autant de traces de ce qui a été effacé de la conscience mais qui émerge néanmoins sous une forme déguisée. Ces quelques pistes d'exploration ne constituent certes pas un moyen radical de changement, mais elles permettent de retrouver graduellement la connaissance de certaines parties de soi.

L'UNIVERS DES RÊVES

Marjolaine Nantel

Nos rêves servent de soupapes de sûreté pour nous libérer de nos stress et de nos tensions psychiques. En plus de son caractère réparateur, le rêve constitue aussi un précieux outil de connaissance de soi. Voici donc quelques aspects qui vous permettront de saisir un peu mieux cet univers et d'utiliser vos rêves pour explorer votre vie intérieure.

Tout le monde rêve

Pour utiliser nos rêves, il faut d'abord rêver me direz-vous. Eh bien ! nous rêvons tous et ce, plusieurs fois par nuit. Les études sur le sommeil montrent qu'une nuit de huit heures de sommeil chez l'adulte est entrecoupée de quatre à cinq tranches de rêves dont la première a une durée de neuf à dix minutes et la dernière de trente-cinq à quarante minutes.

Ces périodes de rêves, nommées *sommeil paradoxal*, correspondent à une activité cérébrale intense au cours de laquelle les muscles du corps sont, par contraste, placés dans un état de repos complet; sauf pour les muscles oculaires. En effet, tout au long du rêve, sous nos paupières closes, nos yeux s'agitent, seuls témoins de la traversée de cet espace du rêve. Au réveil, cependant, le souvenir de cette vie onirique nous fait souvent défaut.

Pour garder la mémoire de nos rêves

Qui d'entre nous, au réveil, n'a pas été confronté aux sentiments désagréables laissés par l'évanescence du rêve. Une image pointe ici, une impression est saisie par là, enfin le tout s'éclaircit pour s'évanouir effrontément en nous laissant sur notre appétit ou sur un « Bof, ce n'est qu'un rêve ».

Selon certaines études, pour garder la mémoire de nos rêves, il faut le vouloir et y travailler. C'est donc une question d'attitude et d'efforts à y mettre. L'attitude fondamentale à adopter, c'est d'être curieux par ce qui nous habite, c'est-à-dire par nos idées, nos sentiments, nos désirs et nos fantasmes, à la fois conscients et inconscients. Pour certains, cela veut dire vaincre la peur ou l'indifférence suscitée par ce qui se présente sous une forme autre que celle de la réalité des choses extérieures palpables, mesurables et surtout connues. Pour y arriver, sachez que le rêve s'exprime dans un langage symbolique, qu'il présente un déroulement de l'action sans chronologie ni logique et qu'en plus de transformer les images, les sentiments, les impressions, il les utilise de manière condensée.

Cette attitude de curiosité envers le pays des songes met donc en branle le mécanisme de la remémoration surtout si elle est présente au moment de l'endormissement. De manière pratique, profitez de ce temps et de cet espace qui vous fait basculer de l'état de veille à celui de sommeil pour utiliser une technique d'autosuggestion. Répétez-vous plusieurs fois une phrase simple comme : « Je vais m'endormir et rêver plusieurs fois cette nuit, et demain, je vais m'en souvenir. » Une autre technique est d'associer votre désir de vous souvenir de vos rêves à un objet concret. En vous couchant, placez cet objet de manière à ce qu'au réveil il vous signale de vous rappeler de vos rêves. Dans un second temps, il s'agit de fixer le souvenir de vos rêves en les notant. Gardez donc sur votre table de chevet un papier et un crayon destinés à cette fin. Cela peut même vous être utile en pleine nuit pour capter l'essentiel d'un rêve et en retrouver les détails au matin.

Enfin, ne vous précipitez pas sur votre crayon; laissez-vous le temps de vous souvenir. Précipitation et impatience accentuent la censure du réveil qui a pour fonction de rejeter nos rêves dans l'inconscient. Aussi avant de vous lever, prenez cinq minutes dans le noir, les yeux fermés. Laissez émerger tout indice qui peut vous conduire au souvenir d'un rêve. Dès que vous en avez trouvé la trace, racontez-vous-le avec le maximum de détails puis notez-le comme il se présente.

Un autre incitatif fort agréable est d'avoir une personne à qui raconter vos rêves. L'avantage ici est d'enrichir la compréhension grâce à la manière dont vous le racontez et à l'échange qui peut s'ensuivre.

Comment les interpréter

Une fois vos rêves enregistrés, il vous reste à les décoder et à les interpréter. Comment accomplir ce travail ? D'abord mentionnons que le meilleur moyen d'utiliser nos rêves c'est de les considérer comme des messages de soi à soi et que nous sommes la personne la mieux placée pour en découvrir le sens. Ceci implique que nous devons renoncer à la tentation de voir dans la symbolique de nos rêves des messages mystiques, divins ou magiques, annonciateurs de l'avenir ou révélateurs des intentions de notre entourage. Bien qu'intéressants, les dictionnaires portant sur l'interprétation des rêves doivent être consultés à titre indicatif. Ils peuvent parfois s'avérer utiles pour débloquer notre propre analyse en nous amenant sur des pistes jusque-là inconnues.

Ceci nous amène à aborder comment décoder et interpréter nos rêves. Pour faciliter le décodage, la méthode consiste à laisser libre cours à nos idées qui s'associent aux éléments du rêve.

S'il faut se méfier de la clé des songes qui nous fige dans des stéréotypes, il faut cependant, pour ouvrir le chemin de l'interprétation, connaître certains procédés utilisés par le langage du rêve. D'abord sachez que les idées, les sentiments ou les désirs s'expriment par la représentation d'images plutôt que par les mots. De plus, ces images correspondent souvent à une situation vécue récemment par le rêveur; ce sont les *restes diurnes*. Mais attention, cela ne signifie pas pour autant que le message concerne directement cette scène. Elle fait référence le plus souvent à quelques sentiments ou désirs refoulés, parce que trop menaçants, douloureux ou coupables pour la conscience. Un autre procédé utilisé par le rêve est la *condensation*, c'est-à-dire qu'une image peut exprimer plusieurs idées en même temps; ce sont les *pensées du rêve*. Puisque le rêve est notre création, chacun des éléments doit dans son interprétation être considéré comme des projections de soi-même. Ainsi les personnages, les animaux, les lieux et

171

le déroulement de l'action sont là non pour ce qu'ils représentent en réalité mais pour ce qu'ils disent de nous. Par exemple, dans votre rêve, essayez de voir comment vous vous reliez aux différents personnages ou objets et laissez-vous aller à ce qu'ils évoquent pour vous.

Ainsi pour débusquer la richesse du message, faites appel à la méthode de l'association d'idées. Prenez votre cahier des rêves et soulignez les mots et les thèmes qui vous apparaissent les plus importants. Puis reprenez chacun d'eux et laissez libre cours aux idées qui viennent s'y associer. À partir de celles-ci, vous verrez le sens de votre rêve se reconstituer. Si vous êtes attentif à ce qui se passe en vous lors des étapes de remémoration et d'interprétation, vous découvrirez un matériel tout aussi riche que le rêve lui-même. Par exemple, si lors du récit du rêve vous éprouvez des sentiments contradictoires à ceux ressentis dans le rêve, tels la peur plutôt que le plaisir, c'est que vous êtes confronté à des vérités que votre conscience préfère taire.

Comme vous pourrez le constater, le monde des rêves constitue un moyen privilégié pour mieux se connaître. Faire la lumière sur soi et s'approprier son expérience intérieure, c'est devenir de plus en plus un individu à part entière et c'est accepter de vivre pleinement l'aventure humaine.

LE CORPS :
UN PORTE-PAROLE FIABLE

Andrée Blouin
Collaboration : Claude Hamel

Dans la société actuelle, on a donné une place de choix aux infinies possibilités de développement de l'intelligence au détriment de l'expérience corporelle. Mais nous avons aussi un corps, ne serait-il pas plus juste de dire que nous sommes un corps ?

Nous ne reprendrons pas ici le débat historique et philosophique autour de la question de l'unité ou de la dichotomie de l'être humain. Nous tenterons simplement d'apporter quelques éléments d'information et de réflexion à propos d'une réalité qui se réfère à ce tout indissociable que nous sommes, le psychophysiologique sans trait-d'union.

Le corps est le lieu de notre relation à l'univers ainsi que notre médium pour établir des relations avec les autres. C'est aussi le lieu où se manifestent et s'enregistrent toutes nos expériences humaines : sensations physiques, perceptions, émotions, rêves et fantasmes, pensées, conceptions et conscience. C'est en lui que se révèle notre rapport à la vie, notre histoire. Notre système neuromusculaire est façonné par les différentes tensions chroniques qui nous atteignent et il garde la trace des blessures physiques et psychiques de notre passé.

Nos réactions corporelles sont une source quotidienne d'informations sur notre vécu immédiat. Bien que cela soit plus évident quant aux besoins physiques (fatigue, froid), c'est aussi le cas quant au vécu psychique (stress, angoisse, excitation). En ce sens, on peut considérer notre corps comme un partenaire valable, un porte-parole fiable et toujours présent.

Le reconnaître, lui faire une place

Puisque, comme le mentionne Jacques Dropsy, « chacune de nos émotions arrive à notre conscience à travers des sensations de notre corps et seulement à travers elles », il est important de savoir s'y arrêter, de les percevoir, de les décoder. Chacun peut y arriver à sa façon.

Dropsy met principalement l'accent sur la respiration pour établir le contact avec le corps. La respiration est à la fois un réflexe automatique et un mécanisme physiologique sur lesquels nous pouvons agir soit en la modifiant volontairement, soit un y étant attentif. Elle est centrale parce que, grâce à elle, nous nous maintenons en vie et qu'elle influence notre qualité de vie. Un corps bien oxygéné (respiration abdominale et non une respiration courte épaules-poitirine) a plus d'énergie et une meilleure capacité d'autodéfense.

Gendlin, de son côté, a développé la technique du « focusing » : après s'être concentré sur sa respiration et sur les différentes sensations émanant de son corps, il s'agit de se centrer sur une région particulière (ex. : cou, abdomen, poitrine) et de laisser se développer la perception des tensions, de bien les sentir et de laisser venir une image, un mot qui correspond bien à ce qui est ressenti physiquement. Lorsqu'on arrive à faire le lien entre le vécu affectif (traduit par le mot, l'image) et le vécu physique, cela entraîne très souvent un soulagement, une détente, une harmonie. On peut ainsi arriver à saisir et mettre des mots sur un vécu affectif diffus. Par exemple, si on sait s'arrêter et saisir à partir de ses réactions physiques (maux de ventre) qu'un rendez-vous avec telle personne nous inquiète et qu'on a peur de se sentir écrasé, alors on peut reconnaître sa réaction et en tenir compte au lieu de la nier.

Les somatisations : des plus simples...

Souvent, une maladie aussi ordinaire qu'un rhume contient un message transmis par l'organisme qui peut être décodé et traduit en réactions ou en besoins affectifs.

Ainsi, lorsqu'un rhume apparaît, c'est qu'il y a une brèche dans le système immunitaire. On était peut-être alors plus vulnérable à cause de la fatigue ou du stress ou à cause d'un conflit émotif.

174

Par exemple, si on appréhende d'aller chez ses parents en fin de semaine, parce qu'on sait qu'on va y vivre de la frustration et de l'impuissance, on peut s'équiper d'un bon rhume. Ainsi, on sera moins présent, on sentira moins ses réactions et on aura une bonne excuse pour ne pas faire face ou pour faire prendre soin de soi.

À d'autres moments, attraper un rhume ou une maladie bénigne est la seule façon de se permettre de s'arrêter, de se reposer, de cesser d'être super-performant. Ceci indique que l'on a traité son corps comme une machine que l'on fait fonctionner sans arrêt en lui donnant le minimum de soin (nourriture, repos, exercice). Sa façon de se faire entendre, puisqu'on ne l'écoute pas, c'est de faire la grève. C'est peut-être, à certains moments, le seul moyen que le corps a trouvé pour nous forcer à tenir compte de lui.

Nous avons parlé ici de somatisations mineures, mais qu'en est-il des plus complexes et du lien possible à faire entre le psychique et le physique ?

... aux plus complexes

Tous les jours, nous rejetons tel virus, nous empêchons des cellules cancéreuses de se multiplier, et voilà qu'à un moment notre système de défense ne fonctionne plus adéquatement. Qu'arrive-t-il ? À cette question très complexe, nous ne connaissons pas toutes les réponses, mais si nous devenons malades, nous avons tout à gagner à nous demander quel sens cela peut avoir pour nous.

Il est possible de considérer que plusieurs personnes n'ont d'autre choix que celui de faire parler leur corps au lieu de ressentir leurs douleurs et d'élaborer psychiquement des sentiments de dépit, de peur, d'angoisse, de colère. C'est du moins ce que soutient Joyce McDougall, psychanalyste. Elle a constaté que parfois le corps devient un théâtre où se joue un scénario, un drame émotif et cela principalement quand l'individu est coupé de son expérience ou n'a pu la « mentaliser », c'est-à-dire la traduire en mots significatifs de sa propre histoire et en saisir le sens. Donc, lorsque la voie psychique est bloquée, il ne reste que la voie somatique.

175

Le docteur F. Dutot, médecin généraliste, a souvent observé que les maladies de ses patients racontent leur histoire et traduisent des « fractures de l'âme » (psychiques) qui se manifestent par différents symptômes (asthme, colite, troubles cardiaques).

Ces deux spécialistes des somatisations ont aussi remarqué que plusieurs de leurs patients peuvent guérir lorsqu'ils retrouvent et ressentent les émotions jusque-là niées et refoulées et que le corps n'a plus besoin d'exprimer. Autrement dit, lorsque la personne prend conscience de l'histoire dont elle a dû se couper pour se protéger, le corps peut guérir parce qu'il a été entendu.

Souvent, l'expérience racontée par le corps est tellement primaire (au niveau du nourrisson) qu'elle est insaisissable et qu'il est très difficile d'y mettre des mots. Parfois aussi, il y a une détérioration irréversible de l'organisme (infarctus, cancer) dont il ne reste plus qu'à s'accommoder et à chercher à éviter une aggravation subséquente.

Tout cela est très complexe et propre à chacun, à son histoire personnelle. Le mal de genou, l'ulcère, l'otite n'a pas le même sens pour tous et chacun. Il est téméraire de faire des généralisations. On ne peut interpréter les troubles des autres, on peut par contre chercher à comprendre les siens.

Fatalisme ou toute-puissance

Certains considèrent leur santé comme étant déterminée d'avance par le matériel génétique et se perçoivent comme totalement impuissants face à leur état de santé; ce qui manifeste un fatalisme certain. D'autres, par ailleurs, ont l'impression que la compréhension des blessures psychiques va venir à bout de tous les symptômes physiques et versent dans la toute-puissance.

Le débat autour de la responsabilité et du pouvoir que l'on peut se donner face à sa santé suscite souvent de fortes réactions émotives (angoisse, colère, culpabilité). Sans prétendre se donner tout le pouvoir, on peut chercher à en prendre une partie en reconnaissant que nous avons enregistré dans notre corps des expériences dont nous n'avons pas pris conscience et en demeurant ouvert aux messages transmis par nos réactions corporelles.

Références

Dropsy, Jacques. *Vivre dans son corps*, Paris, EPI Éditeurs, 1973.

Dutot, Fabrice. *Les fractures de l'âme : du bon usage de la maladie*, Paris, Éditions Laffont, 1988.

Gendlin, Eugene T. *Focusing : Au centre de soi*, Montréal, Le Jour Éditeur, 1984.

Mac Dougall, Joyce. *Les théâtres du corps,* Paris, Éditions Gallimard, 1989.

LA FAIM
POUR EXPRIMER DES BESOINS

Marie-Claude Lavallée

On va discuter boulot au déjeuner, on partage un repas entre amis, on se rencontre autour d'un souper de famille. Au-delà de la fonction de survie, l'alimentation sert souvent de lien dans les échanges avec l'entourage. Le simple geste de convier des gens à un repas peut être l'expression tacite de confiance et de complicité. Pour certaines personnes qui souffrent de boulimie, le rapport à l'alimentation prend une place démesurée et traduit un mode de communication bien particulier avec le monde extérieur. En ce sens, la boulimie ne se limite pas à un ensemble de symptômes, mais constitue également une façon d'exprimer des difficultés qui ne savent pas se dire autrement.

Les symptômes

La boulimie, dont le sens étymologique est « faim de bœuf », se caractérise par une sensation de faim excessive et une surconsommation exagérée d'aliments. Nous abordons le sujet au féminin, puisque ce trouble alimentaire se manifeste majoritairement chez des adolescentes et des jeunes femmes. Le début des symptômes survient généralement à la puberté ou à l'entrée dans l'âge adulte. La sévérité, l'intensité et la fréquence des troubles boulimiques sont très variables. Ainsi, certaines boulimiques ont des fringales modérées et occasionnelles, alors que d'autres font quotidiennement des crises massives où de grandes quantités de nourriture sont ingérées puis rejetées. Dans tous ces cas, les jeunes femmes sont conscientes de la démesure, mais elles ne peuvent s'empêcher d'agir malgré un désir de contrer la pulsion. Il s'ensuit des comportements alimentaires chaotiques, où alternent souvent des moments de restriction, de gavage et parfois de purge.

Les boulimiques sont souvent obsédées par des idées liées aux aliments, au poids et à l'image corporelle. Parler de nourriture, parfois même en rêver, faire le calcul des calories absorbées, ruminer au sujet des derniers excès alimentaires sont des préoccupations quotidiennes. Elles ont une perception négative de leur corps qu'elles cherchent à corriger pour atteindre une image idéale, avec l'espoir de réparer ainsi une estime de soi déficiente. L'image qu'elles se font de leur corps n'est cependant pas toujours conforme à la réalité et le poids est parfois surestimé. Elles s'imposent fréquemment des restrictions alimentaires en vue de perdre du poids. C'est d'ailleurs souvent à la suite d'un premier régime sévère qu'apparaissent les symptômes boulimiques. La faim et le désir de manger sont en effet exacerbés par les privations alimentaires, jusqu'à devenir le centre des pensées et des comportements. Les boulimiques parlent elles-mêmes de « rage de bouffe » pour décrire l'état d'impulsivité qui les saisit, les conduisant à recourir à la nourriture dans un mouvement frénétique et le plus souvent en cachette. Il n'y a plus, dès lors, d'espace pour d'autres pensées que pour les aliments ingérés de façon machinale, parfois rapidement et sans plaisir. La nourriture est absorbée et absorbe toutes les pensées. Cette annulation de la pensée est parfois recherchée activement dans la crise boulimique pour éviter l'émergence d'émotions difficiles, comme l'envie, la colère, la culpabilité, des sentiments de vide et d'auto-dépréciation. Une fois la crise terminée, les jeunes femmes sont envahies par des sentiments dépressifs, par du dégoût, de la honte et par la peur de prendre du poids. Certaines recourent alors à des stratégies purgatives ou à des exercices effrénés, dans une tentative d'annuler physiquement et psychiquement les effets de la crise. Les vomissements provoqués ou l'emploi de laxatifs signent toutefois la gravité des troubles et entraînent des problèmes physiques plus importants.

Au-delà des symptômes

Ce rapport du tout ou rien, où alternent le vide et le trop-plein sur le plan alimentaire, est aussi caractéristique du style relationnel que les boulimiques entretiennent avec le monde extérieur : activités, objets ou personnes. Souvent très actives, ces jeunes femmes ont tendance à planifier des horaires qui débordent de projets. Elles ressentent une pression intérieure qui les amène à rechercher l'activité de façon com-

180

pulsive, redoutant la solitude et les moments propices à la réflexion qui ravivent en elles des sentiments de vide intolérable. Cette recherche de solutions extérieures, dans l'activité ou dans le recours à la nourriture, révèle les difficultés qu'elles ont à se définir de l'intérieur et à savoir qui elles sont. En conséquence, elles recherchent souvent l'avis de l'entourage pour se faire rassurer sur leur identité et leurs valeurs. Ces jeunes femmes sont en perpétuelle quête d'un idéal dont la réalisation les remplirait entièrement. Cet idéal peut prendre les formes interchangeables d'une perte de poids, d'une réussite extraordinaire, d'un amour parfait, etc. La réalité n'est cependant jamais à la hauteur de cet idéal et s'avère insatisfaisante, laissant la boulimique « sur sa faim ». À l'engouement ressenti devant un nouvel objectif succède un désintérêt, d'où parfois un passage rapide d'un objet à l'autre. Le même scénario peut se répéter sur le plan relationnel, les amenant à passer d'un grand désir de rapprochement à la nécessité de prendre une distance face à l'autre, particulièrement lorsqu'il s'agit de relations intimes. Elles oscillent souvent entre le besoin de plaire et la peur de se voir enfermées dans les désirs des autres, ce qui entraîne des comportements de dépendance et de contre-dépendance.

Tout se passe comme si les boulimiques n'avaient pas appris à vivre pour elles-mêmes. Elles ne savent pas se valoriser et ont besoin de faire porter aux autres leur appétit de vivre. Leur faim de se sentir aimées, rassurées, entourées, se heurte toutefois à la peur viscérale de devenir entièrement dépendantes des autres et de n'avoir plus, dès lors, d'espace pour être elles-mêmes. C'est là tout le paradoxe du conflit des boulimiques, où se confrontent besoin de sécurité et quête d'identité. Il n'est donc pas étonnant que la boulimie survienne particulièrement à l'adolescence ou à l'entrée dans le monde adulte : ces étapes de la vie correspondent à des moments charnières dans le processus normal d'acquisition de l'autonomie. Prendre de l'âge, acquérir graduellement des formes et des traits féminins, expérimenter une autonomie naissante rappellent inévitablement à l'adolescente, puis à la jeune femme, qu'elle est en voie de se définir et de se séparer de ses parents. C'est là une tâche complexe qui exige notamment l'intériorisation d'un solide sentiment de sécurité. Se séparer, c'est en effet se différencier des valeurs parentales, avec la kyrielle de conflits propres à l'adolescence.

181

Après s'être nourrie du plaisir d'être approuvée, l'adolescente peut être déstabilisée en se voyant aux prises avec des idées personnelles qui entrent en contradiction avec les valeurs de ses parents. Mais avant tout, accepter de se percevoir comme un individu séparé, c'est aussi accepter la réalité douloureuse que l'autre n'est pas toujours disponible pour soi et qu'on est dépendant de son bon vouloir. La séparation devient alors l'équivalent de vide et de blessure que les boulimiques cherchent à fuir en faisant un pas en arrière. En choisissant d'utiliser la nourriture, toujours disponible et à portée de la main, elles maintiennent une illusion de maîtrise et d'autosuffisance. C'est un peu comme si elles déclaraient : « Je n'ai besoin de personne, je peux me nourrir comme et quand je le veux. » Ce faisant, elles évitent également d'entrer en conflit avec les proches, puisque c'est leur propre corps qu'elles attaquent et malmènent. À défaut de mots qui manquent aux boulimiques pour exprimer leurs difficultés, tout se passe en deçà de la parole et de la pensée. La priorité accordée à une fonction corporelle rappelle d'ailleurs cette époque lointaine où les mots manquaient encore à l'enfant pour désigner ses besoins, le laissant dépendant de l'interprétation de ses parents pour être nourri et rassuré. Un peu comme une mère qui répondrait invariablement aux pleurs du bébé en lui offrant le sein, les boulimiques utilisent les aliments sans distinguer leurs besoins. Qu'elles soient angoissées ou fâchées, qu'elles se sentent méchantes ou coupables, les boulimiques ne tiennent pas compte de leurs émotions et tentent de les étouffer par la nourriture. Les pistes ainsi brouillées, elles perdent la connaissance de toute une partie d'elles-mêmes. Avec le temps, leurs pratiques boulimiques doivent devenir de plus en plus intenses pour leur donner la sensation d'être remplie et pour conjurer le sentiment de vide. La dépendance, évitée dans le rapport avec les proches, s'établit ainsi peu à peu avec les aliments.

Penser pour panser

En utilisant la nourriture à la manière d'un pansement sur une blessure, les boulimiques cherchent désespérément à se soigner. Le remède qu'elles s'administrent devient toutefois aliénant, en raison de la rigidité avec laquelle elles s'y accrochent et de l'enfermement que crée la boulimie. Avec le temps, c'est un peu comme si elles en

182

venaient à oublier qu'il existe d'autres solutions pour composer avec les difficultés. Il est donc important que soit brisé l'automatisme de la réponse boulimique. En regardant à l'intérieur de soi, il devient possible de reconnaître les situations qui provoquent les crises de boulimie. Il s'agit de retrouver la trace des émotions noyées sous la profusion d'idées en rapport avec la faim, le poids et la nourriture. C'est là l'amorce d'un travail de connaissance de soi qui aide les boulimiques à mieux définir leurs limites intérieures et à se donner des moyens pour prendre soin de leurs besoins. Parce qu'elles sont emportées dans une spirale de comportements, elles ont aussi besoin d'un miroir pour mesurer la violence qu'elles imposent à leur corps à travers des gestes dont elles ignorent ou sous-estiment la dangerosité. Le recours à une aide thérapeutique s'avère souvent très utile, voire nécessaire, pour les aider à développer un regard personnel sur elles-mêmes et les soutenir dans leurs efforts de changement. Il s'agit d'un travail de longue haleine et il n'est pas rare que les patientes oscillent pendant un moment entre un mieux-être et des rechutes. En se donnant des mots pour mieux saisir leur réalité intérieure, elles apprennent à se nourrir autrement et à redonner à l'alimentation une place plus saine.

UNE HISTOIRE PERSONNELLE
À DÉCOUVRIR

NOMMER LA SOUFFRANCE

Francine Beaudry et Marie-Andrée Linteau

Le développement de l'intelligence artificielle et des nouvelles technologies a amené des modifications importantes dans l'organisation sociale et a influencé en profondeur la psychologie des êtres humains. Nos capacités d'adaptation sont actuellement mises à rude épreuve et, malheureusement ou heureusement, les sentiments et les émotions créent souvent des « bugs » dans notre fonctionnement. Ils nous rappellent que nous sommes encore des humains, avec des besoins de développement et de stimulation bien sûr, mais aussi des besoins de contacts personnels, d'attachement et de signification. De plus en plus, on entend parle de démarche intérieure, de thérapie ou de croissance personnelle. Chacun choisit sa façon de donner un sens à sa vie et de trouver ses propres réponses. Malgré une popularité croissante, la consultation psychologique demeure teintée de magie et de crainte. Nous aimerions, dans le présent article, répondre à certaines questions concernant ses objectifs, sa durée et le rôle du psychothérapeute.

Qu'est-ce que la consultation psychologique ?

La consultation psychologique est un processus par lequel nous pouvons arriver, avec l'aide d'une personne « neutre », à cerner nos difficultés, à comprendre le sens ou la fonction qu'elles ont dans notre vie actuelle et à trouver des pistes de solution.

La démarche thérapeutique a comme premier objectif d'identifier, de nommer les sources des malaises que nous vivons dans notre quotidien. Elle vise en outre à nous faire prendre conscience de qui nous sommes, de ce que nous ressentons, de nos façons d'entrer en contact avec notre entourage, de nos besoins fondamentaux auxquels nous répondons parfois de façon indirecte ou inadéquate. Elle permet également de comprendre les impasses dans lesquelles nous nous engageons, créant ainsi des frustrations répétées; exemple : « Comment se fait-il que je choisisse toujours des femmes froides et distantes alors que j'ai tant besoin de chaleur et de tendresse ? » « Pourquoi est-ce que je perds tous mes moyens lorsque je rencontre un homme de mon goût ? » Nous pouvons, à travers la relation qui se crée avec le psychologue, explorer notre histoire familiale, le rôle qu'on y a joué et les mandats parfois impossibles que nous nous donnons dans nos relations actuelles; par exemple, sauver les autres, faire échec à l'autorité, dénoncer l'injustice sociale, etc. Ainsi, nous arrivons à comprendre et à accepter nos manques et cesser de rechercher les parents idéaux que nous aurions tant souhaités.

Contrairement à ce que l'on croit, la thérapie n'élimine pas entièrement la souffrance; elle permet de la regarder, de mieux l'assumer et de la transformer. Elle ne nous rend pas parfaits mais permet de prendre conscience de nos fragilités et de mieux composer avec nos manques. Si nous apprenons à tenir compte de nos limites, nous pouvons mieux utiliser nos talents et nos forces.

La durée d'une démarche thérapeutique

Il n'existe pas réellement de norme sur la durée d'une thérapie. Tout dépend de la personne qui consulte, de ses objectifs et de la difficulté à résoudre.

Certain(es) personnes consultent quatre ou cinq fois, le temps de bien identifier la source de leur malaise. Souvent, les gens sont anxieux parce qu'ils sont aux prises avec des émotions fortes qu'ils ne comprennent pas. Parfois, le seul fait d'identifier ce qui se passe a un effet extrêmement soulageant et dissipe l'impression qu'on va « devenir fou ». Cela permet de sentir qu'on a de nouveau le pouvoir sur sa vie et qu'on peut résoudre les difficultés.

D'autres veulent pousser plus loin l'exploration de leurs difficultés, comprendre leur histoire, rechercher avec le psychothérapeute des moyens de modifier leurs comportements et leurs attitudes. Cette démarche peut alors se poursuivre pendant quelques années.

Comme le développement se fait par stades, la démarche thérapeutique a aussi ses propres étapes. Nous pouvons, à un moment donné, explorer une difficulté particulière, liée à notre âge ou à notre situation actuelle; quitter les parents, nouer les premières relations amoureuses, s'adapter au milieu du travail, avoir des enfants, changer d'emploi, perdre un membre de sa famille, vieillir, etc. Le développement n'est jamais terminé et les préoccupations varient avec les différentes étapes. Il est donc possible de venir régler certaines difficultés ponctuelles, arrêter quelque temps et revenir consulter à une date ultérieure.

On remarque cependant que toute « séparation » (quitter la maison, rompre une relation amoureuse, perdre un emploi) fait souvent émerger de vieux problèmes. Chacune de ces situations constitue une occasion de prendre conscience de nos difficultés de fond et d'approfondir notre connaissance de nous-mêmes. Avec le temps et la pratique, nous pouvons mieux tolérer l'anxiété que ces situations provoquent, accepter d'être à nouveau vulnérable et acquérir la confiance que nous pouvons surmonter ces moments de crise.

Et le psychologue...

Le psychologue n'est ni magicien, ni Dieu ! Nous imaginons souvent à tort qu'il connaît nos difficultés sans que nous ayons à lui en parler vraiment, ou encore nous espérons qu'une fois notre problème décrit, exposé, il nous fournira un diagnostic détaillé et la marche à suivre pour le régler. Ce n'est pas aussi simple ! Même s'il peut à l'occasion nous conseiller, le psychologue est avant tout un témoin, un guide pour nous aider à comprendre nos difficultés, à en prendre la responsabilité, et à chercher des moyens pour les résoudre. Il nous aide à devenir « maître à bord » et artisan de notre propre vie.

L'ENFANCE,
DE L'OUBLI AU SOUVENIR

Anouk Beaudin

Cet article aborde la délicate question de la relation parent-enfant et de ses répercussions à l'âge adulte. Il s'adresse aux parents, à ceux qui le deviendront, mais surtout à l'enfant qui subsiste en chacun de nous à divers degrés. Grâce à l'évolution des connaissances sur les besoins et le développement du petit enfant, la pédagogie a beaucoup progressé au cours du siècle actuel. D'abord plus rigides et distants par « crainte de trop gâter » et par volonté « de former le caractère », les parents ont été graduellement encouragés à assouplir leurs attitudes et à respecter davantage les besoins d'affection et d'expression de leur enfant. De plus, la violence physique, le châtiment corporel, longtemps reconnus comme une méthode légitime d'éducation, sont désormais découragés et même sanctionnés dans certains cas extrêmes. Suivant un mouvement de balancier propre à l'évolution, la rigidité de la première moitié du siècle a fait place, dans les années soixante-dix, à une grande souplesse, souvent marquée par trop de laisser-aller, un manque de limite et d'encadrement. L'équilibre, comme partout ailleurs, est très difficile à atteindre. Nous souhaitons ici mettre en lumière certaines formes d'abus psychologiques qui subsistent encore dans le rapport parents-enfants, mais qui ne sont pas reconnus comme tels parce que pernicieusement masqués sous le couvert de « l'éducation » et infligés par des parents souvent bien intentionnés et aimants.

Les limites du savoir et de la volonté

Qui n'a pas eu à composer avec les limites de ses parents et de l'éducation propre à son époque. Il est toujours difficile d'offrir ce dont soi-même on a été privé, même lorsque l'on éprouve des désirs sincères de réparation et que l'on détient une solide connaissance en matière d'éducation. Par exemple, les privations et souffrances découlant d'une éducation trop rigide peuvent prendre la forme, chez l'adulte, d'une tendance à utiliser plus faible que soi pour récupérer un pouvoir et une volonté sapés dès leurs premières manifestations. Par ailleurs, un encadrement inconsistant ou trop laxiste favorise l'émergence d'un sentiment d'abandon, d'insécurité, de confusion qui rend la position de parent difficile à assumer pleinement lorsque l'on devient adulte.

Ainsi, l'attitude parentale, quelle qu'elle soit, est régie par les possibilités de la personne bien plus que par sa volonté. La capacité d'aimer et de soutenir le petit enfant avec respect découle du fait d'avoir soi-même été aimé et respecté pour ce que l'on est, ce qui est très variable d'un individu à l'autre.

Les souffrances vécues dans la petite enfance ne sont cependant plus ressenties comme telles à l'âge adulte parce que vécues à un âge trop précoce et refoulées hors de la conscience. Elles continuent par contre de s'exprimer avec force dans différents contextes et de façon plus explicite dans le rapport avec ses propres enfants. Les cris, les manipulations, les humiliations, les silences réprobateurs représentent souvent une tentative inconsciente des parents de répondre à leurs propres besoins de pouvoir ou de support.

Regardons cette scène de la vie quotidienne rapportée par Alice Miller : « Au cours d'une promenade, un jeune couple marchait avec à leurs côtés un petit garçon d'environ deux ans qui pleurnichait. Les parents venaient de s'acheter des cornets de crème glacée et ils les léchaient avec délice. Le petit garçon en voulait un aussi. Ses parents lui offrirent gentiment à tour de rôle de prendre une léchée, mais l'enfant ne voulait pas et tendit la main vers le cornet de sa mère qui lui refusa. Il se mit à pleurer, désespéré, et la même situation se répéta avec le cornet du père. Il revenait sans cesse et regardait, triste et envieux, les deux adultes qui, là-haut, satisfaits et solidaires, savouraient leur glace… Plus l'enfant pleurait, plus les parents s'amusaient. Ils ne pouvaient s'empêcher de rire et espéraient ainsi pouvoir égayer l'enfant. Personne n'avait compris qu'il voulait tenir le cornet dans sa main, comme les autres. De plus, on avait ri, on s'était moqué de son besoin. » Pensons aussi aux situations où un adulte se moque des craintes d'un enfant en le traitant de bébé ou en riant de ses peurs. Ou encore au parent qui compare un enfant avec un autre en insistant sur ses faiblesses.

Pour justifier leurs actions, ils utilisent souvent des rationalisations : « Ça va l'endurcir. Il avait juste à m'écouter », ou tentent de compenser par des soins et une attention envahissante. Il n'y a habituellement personne pour questionner la dureté ou l'incohérence de leurs comportements, bien au contraire. En fait, ces formes subtiles d'abus sont encore légitimées dans le rapport parents-enfant.

L'idéalisation ou la colère interdite

Il est souvent impossible pour l'enfant de prendre conscience des blessures psychologiques qu'il subit en raison de sa totale dépendance envers ses parents et de leur besoin, plus ou moins important, d'obtenir le pouvoir, la reconnaissance et la disponibilité qui leur a fait défaut dans leur petite enfance. À cela s'ajoute la nécessité, pour tout enfant, d'idéaliser ses parents, c'est-à-dire de les considérer comme irréprochables et de voir en eux des modèles. Lorsqu'il vit des blessures psychologiques et des manques, l'enfant éprouve des sentiments de haine, de tristesse, de jalousie ou d'abandon et c'est spontanément à lui qu'il attribue les raisons de son malaise ou de sa souffrance. Lorsque les blessures et les manques sont importants et chroniques, il développe en grandissant une image plutôt négative de lui-même et croit parfois être complètement mauvais. Cette haine de soi, dans ses formes extrêmes, peut conduire au suicide ou à des actes meurtriers. C'est de cette manière déguisée, à travers des comportements destructeurs, que l'enfant, devenu adulte, tente d'exprimer une souffrance indicible. Derrière toute haine, il y a au départ une colère légitime mais interdite, dirigée vers les adultes qui se sont occupés de l'enfant.

Plusieurs biographies permettent de prendre conscience de la force des phénomènes décrits ci-dessus. Citons le cas de Christiane F. (droguée, prostituée) : « Je me souviens encore aujourd'hui de certaines soirées dans leurs moindres détails. Une fois, le devoir consistait à dessiner des maisons. J'en ai fait une et je sais parfaitement comment

193

m'y prendre. Soudain, mon père s'asseoit à côté de moi. Il me demande une question sur mon travail. J'ai si peur que je réponds au hasard. Quand je me trompe, je reçois une baffe. Bientôt, toute en larmes, je suis incapable de formuler la moindre réponse. Alors il se lève, prend la bambou et hop, sur mon derrière, jusqu'à ce que j'aie les fesses à vif… Malgré tout, j'aime et je respecte mon père. Je le trouve de loin supérieur aux autres. J'ai peur de lui, mais son comportement me paraît somme toute normal… Mon vœu le plus cher est de grandir vite, de devenir adulte, adulte comme mon père. D'exercer vraiment un pouvoir sur autrui. » Cet exemple témoigne d'abus physiques et psychologiques graves et rend bien compte que même la violence la plus évidente n'est pas reconnue en raison de la forte idéalisation de l'enfant.

Plus l'enfant devra réprimer son monde affectif pour s'adapter à ses parents, plus il sera coupé de sa vitalité et s'éloignera de lui-même. Ultimement, c'est la perte du contact avec soi. La pire souffrance que l'on puisse infliger à un enfant consiste à lui interdire d'exprimer ses sentiments lorsqu'il a été blessé sous peine de lui retirer son amour et sa présence.

Deuil et expression

Retrouver ce petit être blessé, cet enfant qui subsiste en nous et qui tente désespérément de s'exprimer, est vital pour notre bien-être et celui des générations à venir. En remontant à l'origine de la violence subie dans l'enfance et en exprimant, souvent pour la première fois, ses sentiments de colère, de haine, de tristesse, l'adulte pourra devenir véritablement autonome et mature. C'est un long processus qui passe par de profonds affrontements avec les parents idéalisés et intériorisés, c'est-à-dire tels que représentés à l'intérieur de nous-mêmes.

La vulnérabilité de notre petite enfance est vécue et éprouvée de manière aiguë dans les relations amoureuses, les relations avec nos enfants et la relation thérapeutique. Des sentiments d'une grande intensité, de rage impuissante, de désespoir, d'abandon peuvent surgir et témoigner de l'enfance vécue. Lorsqu'ils sont compris comme tels et peuvent être éprouvés en toute conscience et en toute sécurité, l'enfant blessé en nous commence alors à guérir, à sortir de l'aliénation.

Ce travail permet à la longue de freiner la compulsion de répétition et d'éviter d'utiliser des plus faibles que soi, et bien souvent ses propres enfants pour tenter d'alléger sa souffrance. Au terme de cette démarche, l'adulte comprendra que les abus de ses parents n'avaient rien à voir avec lui, qu'il n'est pas cet être détestable qu'il croyait être. Ses parents, en raison de leur propre souffrance, ne pouvaient pas faire autrement.

Il est douloureux de savoir que les choses se sont passées comme elles se sont passées et que rien ne peut modifier les événements réels. Mais le travail du deuil permet de transformer en soi les parents idéalisés ou détestés et ainsi arriver à éprouver pour soi sollicitude et compassion.

Références

Miller, Alice. *Le drame de l'enfant doué; À la recherche du vrai soi,* « Le fil rouge », Presses Universitaires de France, 1983.

Miller, Alice. *C'est pour ton bien : Racines de la violence dans l'éducation de l'enfant.*, Aubier, 1984.

LA VIE EST- ELLE BELLE ?

Marie-Andrée Linteau

La vie n'est pas facile : elle est parsemée de deuils, de pertes, d'échecs, de blessures inévitables. La souffrance fait partie de la vie et, dans un sens, c'est la rencontre avec la souffrance qui permet de donner à la vie sa profondeur, sa complexité. La souffrance nous dit que quelque chose à l'intérieur de nous a besoin d'être exploré, élaboré; elle est aussi le signal que nous nous donnons à nous-mêmes de la rencontre avec nos propres limites.

Et Dieu sait si elles sont parfois difficiles à accepter ces limites ! Dans le parcours d'une vie, l'être humain doit arriver à composer avec plusieurs grands deuils : il doit se séparer de sa mère et accepter l'altérité, il n'est ni tout-puissant ni immortel : nos parents vieillissent, mourront et nous aussi, sommes soumis à la loi du temps. Ces enjeux sont universels, mais pourtant certaines personnes n'arrivent pas à y faire face parce que leur histoire personnelle les a exposées à trop de souffrances. Cette histoire les a amenées à se couper de leur expérience, de la partie la plus vivante d'eux-mêmes, à grandir en dehors de leurs souliers, bref à survivre simplement. Elles n'ont pas pu développer un sens de soi cohérent, solide, une identité réelle et vivante. Les gens arrivent en thérapie en nous disant : « Même si j'ai tout pour être heureux, ça ne va pas, je ne trouve pas de sens à ma vie, j'ai l'impression de vivre comme à travers une vitre. » Ou encore « Je ne comprends pas pourquoi je me retrouve toujours dans les mêmes situations problématiques, pourquoi je vis rejet sur rejet, pourquoi je fais constamment abuser de moi ou pourquoi je vis comme un kamikase. »

S'approprier son histoire

Ce qui cause problème, ce n'est pas tant les événements qui se sont produits, les « traumatismes » réels (quoiqu'on aurait bien pu s'en passer !), mais le fait de ne pas avoir pu nous approprier, symboliser, donner un sens à ces expériences anciennes que nous avons vécues objectivement. Il nous est arrivé des choses qui ont laissé des traces dans notre psychisme, on a gelé ou pétrifié des pans entiers de notre histoire, on s'est coupé de nos émotions, on a survécu en faisant comme l'animal pris au piège qui se coupe la patte pour se sauver, on sacrifie la partie pour le tout. Ce qui nous fait souffrir donc, c'est le non approprié de notre histoire.

Comment arriver à représenter, à symboliser les anciens traumatismes de façon à les dépasser ? Peut-être est-il plus facile de répondre à cette question par la négative. Digérer la souffrance, ce n'est pas l'éliminer, la faire disparaître. On entend quelquefois les gens nous dire : « Je veux me libérer de mon passé, je veux expulser de moi les émotions ou les idées qui m'empoisonnent la vie, je veux faire le ménage et recommencer à neuf. » Ces paroles illustrent une théorie du mieux-être par la catharsis, par l'expulsion en dehors de soi de ce qui est mauvais ou d'un trop-plein. Cette stratégie, bien que soulageante sur le moment, ne règle rien car les expériences négatives reviennent, se répètent, elles ne sont pas intégrées. Digérer la souffrance, ce n'est pas non plus coller, plaquer un sens logique à ce qui s'est passé, trouver une explication rationnelle. Dans le cadre de la thérapie, c'est revivre les événements du passé en lien avec la personne du thérapeute, de façon à ressentir, à mettre en mots et parfois en gestes l'expérience que nous avons mise de côté.

Si nous n'avons pas pu intégrer les expériences désorganisantes de notre passé, c'est parce que la douleur était insupportable et, surtout, qu'il n'y avait alors personne qui puisse nous aider à en faire du sens, à la traduire pour nous.

Le jeu et l'art pour symboliser

Nous avons, outre la thérapie, d'autres moyens à notre disposition pour symboliser : le jeu et l'art en sont deux exemples.

198

Les enfants tentent de maîtriser, de comprendre ce qui leur arrive grâce au jeu. Prenons l'exemple d'un enfant qu'on amène chez le docteur pour la première fois. Depuis toujours on lui dit qu'il ne fallait pas faire mal aux autres ni se promener nu devant les étrangers. Or le médecin, un adulte, lui demande de baisser ses pantalons et lui inflige une douloureuse piqûre sur une fesse. L'enfant ne s'y retrouve plus, il n'y comprend rien. Que fera-t-il, pensez-vous dans les jours qui vont suivre ? On le verra jouer au docteur avec son petit frère ou sa poupée, administrant à ce dernier le même traitement qu'il a reçu ! C'est sa façon de maîtriser l'événement, de faire sens, de rendre vivable, agréable l'expérience douloureuse. Il est en train de symboliser en jeu, en acte.

Nous, les adultes, disposons du langage pour symboliser, nous jouons avec les mots. L'artiste est comme un enfant qui joue, qui crée, qui transforme le monde. Nous sommes tous des artistes potentiels.

L'art nous offre des représentations de notre monde intérieur à travers les objets, les couleurs, les sons et les mots, il nous donne accès en direct à nos désirs les plus inacceptables, nos sentiments et fantaisies les plus secrets, parfois par nous-mêmes ignorés. Par leur capacité de jeu, les artistes nous amènent dans un monde imaginaire, nous entraînent dans l'espace de l'illusion où rêve et réalité s'entremêlent.

C'est ce tour de force qu'a réussi Roberto Benigni en 1999 dans son film *La vie est belle*. Dans un train qui les conduit au camp de concentration, un père (Guido) fait croire à son fils de 5 ans (Josué) qu'ils vont à la colonie de vacances. Une fois parvenus à destination, Guido continue à entretenir l'illusion. Il explique à son fils que ce camp est un jeu, que les prisonniers sont des adversaires à éliminer en gagnant le plus de points possible et que les nazis sont des fonctionnaires chargés de faire respecter les règles. Plus les gens font ce qu'on leur demande, plus ils accumulent des points et courent la chance de remporter le grand prix : un char d'assaut.

Ce film, construit à la manière d'un conte, d'une allégorie, montre comment un père, par amour pour son fils, le protège du traumatisme avec le langage du jeu, il parvient à lui cacher l'essentiel par un tour de force de l'imagination. C'est la rencontre du clown et de l'enfant. Comme dans un conte de fée, un vrai tank, conduit par un soldat américain, apparaît à la fin. Avec sur son visage, la surprise sans limites de tous les sceptiques qui découvrent que leurs doutes n'étaient pas fondés, Josué s'exclame : « C'est vrai, nous avons gagné ! » L'arrivée du tank est un moment absurde et irréel. Elle relie la fable à l'histoire, elle permet, comme dans l'allégorie, au jeu et à la réalité de converger.

Ce film illustre le pouvoir phénoménal de la fantaisie pour transformer une expérience insensée, indigestible, en une aventure difficile certes, mais tout de même « jouable ».